D0291320

AR
OR

Di Agatha Christie
nelle edizioni per ragazzi

NELLA COLLEZIONE OSCAR JUNIOR

Assassinio sull'Orient Express
Avversario segreto
Dieci piccoli indiani
Le indagini di Hercule Poirot
Le indagini di Miss Marple
Miss Marple alla riscossa
Il mistero del treno azzurro
Poirot e le pietre preziose
La serie infernale
La signora del delitto

NELLA COLLEZIONE CLASSICI ILLUSTRATI

Dieci piccoli indiani

AGATHA CHRISTIE

ASSASSINIO SULL'ORIENT EXPRESS

Traduzione di Lidia Zazo

www.ragazzimondadori.it
www.agathachristie.com

Titolo dell'opera originale *Murder on the Orient Express*
Prima edizione nella collana "Oscar junior" aprile 2014
Stampato presso ELCOGRAF S.p.A.
Stabilimento di Cles (TN)
Printed in Italy
ISBN 978-88-04-61837-9

Anno 2019 - Ristampa 13 14 15 16 17

Parte prima

I fatti

Capitolo primo

Un passeggero importante sul Taurus Express

Erano le cinque di una mattina invernale in Siria. Alla stazione di Aleppo sostava il treno definito dagli orari ferroviari con il nome altisonante di Taurus Express. Era composto da un vagone ristorante, un vagone letto e due vagoni ordinari.

Accanto al predellino del vagone letto un giovane tenente francese conversava con un ometto imbacuccato fino alle orecchie, del quale si vedevano soltanto la punta del naso e le due estremità dei baffi arricciati all'insù.

Faceva un freddo glaciale, e il compito di accompagnare alla stazione un distinto viaggiatore straniero non era certo da invidiare, ma il tenente Dubosc faceva virilmente la sua parte. Dalle sue labbra uscivano con eleganza frasi francesi ben tornite. Non che avesse la minima idea dell'intera faccenda. C'erano state voci, naturalmente, come sempre in casi del genere. L'umore del generale, del *suo* generale, si era fatto sempre più nero. E poi era arrivato questo belga: fin dall'Inghilterra, a quanto pareva. C'era stata una settimana di strana tensione. In seguito erano accadute alcune cose. Un ufficiale di grado molto elevato si era suicidato, un altro aveva dato le dimissioni; l'ansia era scomparsa all'improvviso da volti tesi, alcune precauzioni militari erano state allentate. E il generale, il generale del tenente Dubosc, era sembrato all'improvviso dieci anni più giovane.

Dubosc aveva udito parte di una conversazione fra lui e lo straniero. «Lei ci ha salvato, *mon cher*» aveva detto il generale commosso, con i grandi baffi bianchi tremanti. «Ha salvato l'onore dell'esercito francese, ha evitato che si spargesse del sangue! Come posso ringraziarla per avere risposto alla mia chiamata? Per essere venuto da tanto lontano...?»

Al che lo straniero – un certo Monsieur Hercule Poirot – aveva dato una risposta adeguata che includeva la frase: "Non ricordo, forse, come una volta lei mi abbia salvato la vita?" E il generale gli aveva dato una risposta altrettanto adeguata, respingendo ogni merito per quel servizio resogli in passato. Poi, con ulteriori accenni alla Francia, al Belgio, alla gloria, all'onore e ad altre cose del genere, si erano abbracciati cordialmente e la conversazione aveva avuto termine.

Quanto all'argomento di cui avevano trattato, il tenente Dubosc ne era ancora all'oscuro, ma gli era stato assegnato il compito di accompagnare Monsieur Poirot al Taurus Express, e lui lo eseguiva con tutto lo zelo e l'ardore che si confacevano a un giovane ufficiale con una promettente carriera davanti a sé.

«Oggi è domenica» disse il tenente Dubosc. «Domani, lunedì sera, sarà a Istanbul.»

Non era la prima volta che faceva quell'osservazione. Le conversazioni sul marciapiede prima della partenza di un treno sono spesso alquanto ripetitive.

«Proprio così» convenne Monsieur Poirot.

«E intende restarci qualche giorno, credo.»

«*Mais oui*. Istanbul è una città che non ho mai visitato. Sarebbe un peccato attraversarla... *comme ça*.» Fece schioccare eloquentemente le dita. «Non ho alcuna fretta, mi fermerò per qualche giorno da turista.»

«Santa Sofia è molto bella» disse il tenente Dubosc, che non l'aveva mai vista.

Un vento freddo soffiò sul marciapiede. Entrambi rabbrividirono. Il tenente Dubosc riuscì a lanciare uno sguardo furtivo al suo orologio. Mancavano cinque minuti alle cinque, solo cinque minuti ancora!

Temendo che l'altro avesse notato il suo sguardo, si affrettò a parlare di nuovo.

«Ci sono pochi viaggiatori in questa stagione» disse, lanciando uno sguardo ai finestrini del vagone letto.

«Proprio così» convenne Monsieur Poirot.

«Auguriamoci che non restiate bloccati dalla neve sul Tauro.»

«Succede?»

«È successo, sì. Non quest'anno, per ora.»

«Speriamo bene, allora» disse Monsieur Poirot. «Le notizie dall'Europa non sono buone.»

«Tutt'altro che buone. Nei Balcani c'è molta neve.»

«Anche in Germania, ho sentito.»

«*Eh bien*» si affrettò a dire il tenente Dubosc, temendo un'altra pausa nella conversazione. «Domani sera alle sette e quaranta sarà a Costantinopoli.»

«Sì» disse Monsieur Poirot, e aggiunse disperato: «A quanto ho sentito, Santa Sofia è molto bella.»

«Splendida, credo.»

La tendina di uno degli scompartimenti del vagone letto sopra di loro venne scostata e una giovane donna guardò fuori.

Mary Debenham aveva dormito poco da quando aveva lasciato Baghdad, il giovedì precedente. Non aveva dormito bene né sul treno per Kirkuk, né all'albergo di Mosul, né quella notte in treno. Adesso, stanca di stare distesa nel caldo soffocante dello scompartimento surriscaldato, si era alzata e sbirciava fuori.

Doveva essere Aleppo. Non c'era niente da vedere, naturalmente. Solo un lungo marciapiede male illuminato con qualcuno che litigava ad alta voce in arabo da qualche parte. Due uomini sotto il suo finestrino parlavano in francese. Uno era un ufficiale francese, l'altro un ometto con baffi enormi. Accennò un sorriso. Non aveva mai visto nessuno tanto imbacuccato. Fuori doveva fare molto freddo. Ecco perché riscaldavano tanto il treno. Cercò di abbassare il vetro, ma non scendeva.

Il controllore del vagone letto si era avvicinato ai due uomini. Il treno stava per partire, disse. *Monsieur* avrebbe fatto meglio a salire. L'ometto si tolse il cappello. Aveva la testa a forma di uovo. Malgrado le sue preoccupazioni, Mary Debenham sorrise. Era un ometto ridicolo. Il tipo di ometto che non si sarebbe mai potuto prendere sul serio.

Il tenente Dubosc pronunciava il suo discorso di congedo. Lo aveva messo a punto in precedenza tenendolo in serbo per l'ultimo minuto. Era un discorso molto bello e forbito.

Per non essere da meno, Monsieur Poirot rispose sullo stesso tono.

«*En voiture, monsieur*» disse il controllore del vagone letto.

Con espressione di infinita riluttanza, Monsieur Poirot salì sul treno. Il controllore salì dietro di lui. Monsieur Poirot salutò con la mano. Il tenente Dubosc si portò la mano alla visiera. Con uno scossone terribile il treno si mosse lentamente.

«*Enfin!*» mormorò Monsieur Hercule Poirot.

«Brr» sbuffò il tenente Dubosc, rendendosi conto appieno di quanto freddo facesse...

«*Voilà, monsieur.*» Con un gesto teatrale il controllore mostrava a Poirot la bellezza del suo scompartimento e come fosse stato sistemato il bagaglio. «La valigetta di *monsieur*, l'ho messa *qui.*»

Tese la mano in modo eloquente. Hercule Poirot vi mise una banconota ripiegata.

«*Merci, monsieur.*» Il controllore assunse un atteggiamento pratico e spiccio. «Ho qui i biglietti di *monsieur*. Mi dia anche il passaporto, prego. A quanto ho capito, *monsieur* interrompe il viaggio a Istanbul.»

Monsieur Poirot assentì.

«Non ci sono molti viaggiatori, immagino» disse.

«No, *monsieur*. Ci sono solo altri due passeggeri, entrambi inglesi. Un colonnello proveniente dall'India e una giovane signora da Baghdad. Ha bisogno di qualcosa?»

Monsieur chiese una bottiglietta di Perrier.

Le cinque del mattino sono un'ora scomoda per salire in treno. Mancano ancora due ore all'alba. Consapevole di aver dormito poco, quella notte, e di aver portato a termine con successo una missione delicata, Monsieur Poirot si raggomitolò in un angolo e si addormentò.

Quando si svegliò erano le nove e mezzo, e fece una sortita verso il vagone ristorante in cerca di un caffè.

Al momento c'era solo un altro passeggero, evidentemente la giovane signora inglese della quale aveva parlato il controllore. Alta, snella e bruna, doveva essere sui ventotto anni. L'aria di fredda efficienza nel suo modo di mangiare e di chiamare il cameriere perché le portasse altro caffè testimoniava una profonda conoscenza del mondo e dei viaggi. Indossava un abito da viaggio scuro di una stoffa leggera molto adatta all'atmosfera surriscaldata del treno.

Hercule Poirot, non avendo niente di meglio da fare, si divertì a studiarla senza parere. Doveva essere quel tipo di giovane donna che sa badare perfettamente a se stessa dovunque vada. Era calma ed efficiente. A Poirot non dispiacevano la severa regolarità dei suoi lineamenti e il pallore delicato della pelle. Apprezzava la sua testa bruna e lucente con i capelli ben pettinati a onde, e gli occhi grigi, freddi e impersonali. Ma era un po' troppo efficiente, decise, per essere ciò che lui definiva una "jolie *femme*".

Ben presto entrò nel vagone ristorante un'altra persona. Era un uomo alto, fra i quaranta e cinquanta, snello e di carnagione bruna, con le tempie appena brizzolate.

"Il colonnello che viene dall'India" si disse Poirot.

Il nuovo venuto si inchinò alla ragazza.

«Buon giorno, signorina Debenham.»

«Buon giorno, colonnello Arbuthnot.»

Il colonnello stava in piedi con una mano appoggiata alla sedia dirimpetto a quella di lei.

«Niente in contrario?» chiese.

«No, naturalmente. Si sieda.»

«Sa, a colazione non sempre si ha voglia di chiacchierare.»

«Infatti. Ma non mordo.»

Il colonnello si sedette.

«Ragazzo» chiamò in tono perentorio.

Ordinò caffè e uova.

Il suo sguardo si posò per un attimo su Hercule Poirot, ma si spostò subito con indifferenza. Poirot, leggendogli correttamente nel pensiero, comprese che si era detto: "Soltanto un dannato straniero."

Fedeli alla propria nazionalità, i due inglesi non parlavano molto. Si scambiarono poche brevi osservazioni, e presto la ragazza si alzò per tornare nel suo scompartimento.

A pranzo lei e il colonnello si sedettero di nuovo a tavola insieme ed entrambi ignorarono completamente il terzo passeggero. La loro conversazione era più animata che a colazione. Il colonnello Arbuthnot parlava del Punjab e di tanto in tanto rivolgeva qualche domanda alla ragazza su Baghdad, dove fu presto chiaro che aveva lavorato come istitutrice. Nel corso della conversazione scoprirono alcuni amici comuni, il che ebbe l'effetto immediato di renderli più cordiali e meno riservati. Parlarono del vecchio Tommy Tal-dei-tali e di Jerry Tal-altro. Il colonnello si informò se andasse direttamente in Inghilterra o se si fermasse a Istanbul.

«No, proseguo direttamente.»

«Non è un peccato?»

«Ho fatto lo stesso percorso due anni fa in senso inverso e mi sono fermata tre giorni a Istanbul.»

«Oh, capisco. Be', devo dire che sono lieto che prosegua, perché proseguo anch'io.»

Accennò una specie di goffo inchino, arrossendo impercettibilmente.

"Il nostro colonnello è alquanto sensibile" pensò Hercule Poirot divertito. "Il treno sembra pericoloso quanto un viaggio per mare!"

La signorina Debenham disse in tono pacato che sarebbe stato molto piacevole. I suoi modi erano lievemente scoraggianti.

Hercule Poirot notò che il colonnello la riaccompagnava allo scompartimento. Poco dopo attraversarono lo splendido scenario del Tauro. Mentre ammiravano le Porte della Cilicia, in piedi nel corridoio l'uno accanto all'altra, all'improvviso la ragazza sospirò. Poirot stava accanto a loro e la udì mormorare.

«È così bello! Vorrei… vorrei…»

«Sì?»

«Vorrei potermelo godere!»

Arbuthnot non rispose. La sua mascella quadrata sembrò più ostinata e severa.

«Vorrei con tutto il cuore che ne fossimo fuori» disse.

«Silenzio, per favore. Silenzio.»

«Oh! È tutto a posto.» L'uomo lanciò uno sguardo vagamente irritato in direzione di Poirot. Poi proseguì: «Ma non mi piace proprio il lavoro di istitutrice, sempre agli ordini di madri tiranniche e di insopportabili marmocchi.»

Lei rise e fu come se per un attimo si lasciasse un po' andare.

«Oh! Non è affatto così. L'istitutrice oppressa è un mito del tutto sorpassato. In realtà sono i genitori a temere di venire tiranneggiati da *me*.»

Non dissero altro. Forse Arbuthnot si vergognava di aver parlato tanto impulsivamente.

"È una commediola piuttosto strana quella cui mi trovo ad assistere" si disse pensoso Poirot.

In seguito avrebbe ricordato questa riflessione.

Arrivarono a Konya quella sera alle sette e mezzo circa. I due passeggeri inglesi scesero a sgranchirsi le gambe, passeggiando su e giù sul marciapiede coperto di neve.

Monsieur Poirot si accontentò di osservare da un finestrino l'attività frenetica della stazione. Dopo circa dieci minuti, tuttavia, decise che forse una boccata d'aria non gli avrebbe fatto male. Si preparò accuratamente, avvolgendosi in molteplici cappotti e sciarpe e infilando i lindi stivali nelle calosce. Così bardato scese con cautela sul marciapiede e incominciò a percorrerlo. Arrivò oltre la locomotiva.

Furono le voci a rivelargli le due figure indistinte nell'ombra di un carro merci. Era Arbuthnot a parlare.

«Mary...»

La ragazza lo interruppe.

«Non ora. Non ora. Quando tutto sarà finito. Quando ce lo saremo lasciato alle spalle... *allora*...»

Poirot si allontanò discretamente. Si chiedeva di che cosa parlassero.

Aveva stentato a riconoscere la voce fredda, efficiente della signorina Debenham...

"Strano" si disse.

Il giorno dopo, si chiese se per caso non avessero litigato. I due si rivolgevano appena la parola. La ragazza, pensò, sembrava preoccupata. Aveva due cerchi scuri intorno agli occhi.

Erano circa le due e mezzo del pomeriggio quando il treno si fermò. Si videro alcune teste sporgersi dai finestrini. Un piccolo manipolo di uomini era radunato accanto alle rotaie e accennava a qualcosa sotto il vagone ristorante.

Poirot si sporse a parlare con il controllore del vagone letto che passava in fretta. L'uomo gli rispose e Poirot ritirò la testa: voltandosi, si scontrò quasi con Mary Debenham in piedi proprio dietro di lui.

«Di cosa si tratta?» gli chiese quasi senza fiato in francese. «Perché ci siamo fermati?»

«Non è niente, *mademoiselle*. Qualcosa ha preso fuoco sotto il vagone ristorante. Niente di serio. Lo hanno spento. Adesso riparano il danno. Non c'è pericolo, glielo assicuro.»

Lei fece un piccolo gesto brusco, quasi giudicasse l'idea del pericolo assolutamente priva di importanza.

«Sì, sì, capisco. Ma l'*orario*!»

«L'orario?»

«Sì, ci sarà un ritardo.»

«È probabile» convenne Poirot.

«Ma non possiamo permetterci un ritardo! Il treno deve arrivare alle 6.55 e dobbiamo attraversare il Bosforo e prendere il Simplon Orient Express alle 9 precise. Se ci saranno un'ora o due di ritardo, perderemo la coincidenza.»

«Sì, è probabile» ammise lui.

La guardò incuriosito. La mano aggrappata alla sbarra del finestrino non era perfettamente ferma e anche le sue labbra tremavano.

«È tanto importante per lei, *mademoiselle*?» le chiese.

«Sì, molto. Devo, devo prendere quel treno.»

Gli voltò le spalle e si allontanò lungo il corridoio per raggiungere il colonnello Arbuthnot.

Ma la sua apprensione era superflua. Dieci minuti dopo il treno ripartiva. Arrivò a Haydarpasa con soli cinque minuti di ritardo, avendo recuperato durante il viaggio.

Il Bosforo era agitato e a Monsieur Poirot la traversata non piacque affatto. Sulla nave venne separato dai suoi compagni di viaggio, che non rivide più.

Quando arrivò al ponte di Galata si recò immediatamente all'Hotel Tokatlian.

Capitolo secondo

L'Hotel Tokatlian

Al Tokatlian Hercule Poirot chiese una stanza con bagno. Si avvicinò quindi al banco del portiere per sapere se ci fossero lettere per lui.

Ce n'erano tre, e un telegramma. Alla vista di quest'ultimo le sue sopracciglia si sollevarono impercettibilmente. Non se lo aspettava.

Lo aprì con i suoi gesti precisi, senza fretta. Le parole che vi erano stampate erano inequivocabili.

SVILUPPO DA LEI PREDETTO NEL CASO KASSNER PRODOTTOSI INASPETTATAMENTE PREGO TORNI SUBITO.

«*Voilà ce qui est embêtant*» mormorò Poirot irritato. Alzò lo sguardo all'orologio.

«Dovrò proseguire questa sera» disse al portiere. «A che ora parte il Simplon Express?»

«Alle 9 in punto, *monsieur*.»

«Può procurarmi un posto in vagone letto?»

«Senza dubbio, *monsieur*. Non ci sono problemi in

questa stagione. I treni sono quasi vuoti. Prima o seconda classe?»

«Prima.»

«*Très bien, monsieur*. Dove va?»

«A Londra.»

«*Bien, monsieur*. Le procurerò un biglietto per Londra e le prenoterò un posto nel vagone letto Istanbul-Calais.»

Poirot guardò di nuovo l'orologio. Mancavano dieci minuti alle otto.

«Faccio in tempo a cenare?»

«Senza dubbio, *monsieur*.»

Il piccolo belga annuì. Annullò la prenotazione della stanza e attraversò l'atrio entrando nel ristorante.

Mentre faceva l'ordinazione al cameriere, qualcuno gli appoggiò una mano sulla spalla.

«Ah, *mon vieux*, è un piacere inaspettato» disse una voce dietro di lui.

Chi aveva parlato era un uomo anziano, piccolo e robusto, con i capelli a spazzola. Sorrideva felice.

Poirot saltò in piedi.

«Monsieur Bouc.»

«Monsieur Poirot.»

Monsieur Bouc era un belga, direttore della Compagnia internazionale dei Vagoni letto, e la sua conoscenza con l'ex stella della polizia belga risaliva a molti anni prima.

«Si trova molto lontano da casa, *mon cher*» disse Monsieur Bouc.

«Una piccola faccenda in Siria.»

«Ah! E adesso torna a casa... quando?»

«Questa sera.»

«Magnifico! Anch'io. Cioè, vado fino a Losanna, dove ho qualche affare da sbrigare. Viaggia sul Simplon Express, immagino?»

«Sì. Ho appena chiesto che mi procurassero un posto nel vagone letto. Intendevo fermarmi qui per qualche giorno, ma ho ricevuto un telegramma che mi richiama con urgenza in Inghilterra.»

«Ah!» sospirò Monsieur Bouc. «*Les affaires, les affaires!* Ma lei, lei è arrivato sulla vetta, *mon vieux*!»

«Ho avuto qualche piccolo successo, forse.» L'investigatore cercò di assumere un'espressione modesta senza riuscirci affatto.

Bouc rise.

«Ci vedremo più tardi» disse.

Poirot si dedicò al compito di tenere i baffi fuori dalla minestra.

Portata a termine questa difficile impresa, si guardò intorno mentre aspettava la seconda portata. Nel ristorante c'era solo una mezza dozzina di persone, e di questa mezza dozzina soltanto due che interessassero Hercule Poirot.

Sedevano a un tavolo poco lontano da lui. Il più giovane era un uomo sulla trentina di aspetto simpatico, palesemente americano. Non era stato lui, tuttavia, ma il suo compagno ad attirare l'attenzione del piccolo detective.

Si trattava di un uomo fra i sessanta e i settanta. Visto a qualche distanza aveva l'aspetto gentile di un filantropo. La testa un po' calva, la fronte arcuata, la bocca sorridente che metteva in mostra una fila di bianchissimi denti falsi, tutto sembrava indicare una personalità benevola. Solo gli occhi smentivano questa ipotesi. Erano piccoli, astuti e infossati. E c'era anche dell'altro. Mentre l'uomo, rivolgendosi al compagno, si guardava intorno, il suo sguardo si fermò per un attimo su Poirot e per una frazione di secondo in quello sguardo apparve una strana malevolenza, una tensione innaturale.

Poi si alzò.

«Paga il conto, Hector» disse.

La sua voce era leggermente opaca. Aveva qualcosa di particolare, di morbido e pericoloso.

Quando Poirot raggiunse l'amico in salotto, gli altri due uomini stavano lasciando l'albergo. Mentre i facchini trasportavano il loro bagaglio, il più giovane sovrintendeva all'operazione. Aprì la porta di vetro e disse: «Siamo pronti, signor Ratchett.»

Il più anziano grugnì in segno di assenso e uscì.

«*Eh bien*» disse Poirot. «Che cosa ne pensa di quei due?»

«Sono americani» disse Monsieur Bouc.

«Certo che sono americani. Intendevo chiederle che idea si è fatto di loro.»

«Il giovanotto sembra molto simpatico.»

«E l'altro?»

«A dire la verità, amico mio, non mi piace granché. Mi ha fatto un'impressione sgradevole. E a lei?»

Hercule Poirot ci mise qualche minuto a rispondere.

«Quando mi è passato vicino al ristorante» disse finalmente «ho avuto una strana sensazione. È stato come se mi fosse passata accanto una belva feroce, un animale selvaggio, ma selvaggio davvero!»

«Eppure mi pare che nell'insieme abbia un aspetto del tutto rispettabile.»

«*Précisément!* Il corpo, la gabbia, è del tutto rispettabile, ma la belva guarda attraverso le sbarre.»

«Lei ha molta fantasia, *mon vieux*» disse Monsieur Bouc.

«Può essere. Ma non sono proprio riuscito a liberarmi dall'impressione che il male mi fosse passato molto vicino.»

«Quel rispettabile gentiluomo americano?»

«Quel rispettabile gentiluomo americano.»

«Be',» disse cordialmente Monsieur Bouc «è possibile. C'è molto male al mondo.»

In quel momento si aprì la porta e si avvicinò loro il portiere. Aveva un aspetto preoccupato e confuso.

«È incredibile, *monsieur*» disse a Poirot. «Non c'è neppure un posto nel vagone letto di prima classe sul treno.»

«*Comment!*» gridò Monsieur Bouc. «In questa stagione? Ah, senza dubbio qualche compagnia di giornalisti, di politici…?»

«Non so, signore» disse il portiere. «Ma così stanno le cose.»

«Bene bene.» Monsieur Bouc si rivolse a Poirot. «Non tema, amico mio. Troveremo qualcosa. C'è sempre uno scompartimento, il numero 16, che rimane libero. Ci pensa il controllore!» Sorrise e guardò l'orologio. «Venga,» disse «è ora di partire.»

Alla stazione, Monsieur Bouc venne accolto con rispettosa premura dal controllore del vagone letto in uniforme marrone.

«Buona sera, *monsieur*. Il suo scompartimento è il numero 1.»

Chiamò i facchini e questi portarono il loro carico fino a metà della carrozza sulla quale le targhe di stagno proclamavano la destinazione. ISTANBUL – TRIESTE – CALAIS

«Siete al completo stasera, mi pare.»

«È incredibile, *monsieur*. Tutti hanno scelto stanotte!»

«Tuttavia, dovrete trovare un posto per questo signore. È un mio amico. Potete dargli il numero 16.»

«È occupato, *monsieur*.»

«*Che cosa?* Il numero 16?»

Uno sguardo d'intesa passò fra i due, e il controllore sorrise. Era un uomo alto, olivastro, di mezza età.

«Ma sì, *monsieur*. Come le ho detto, siamo al completo: al completo dappertutto.»

«Ma che cosa succede?» chiese piccato Monsieur Bouc. «C'è un congresso da qualche parte? Una festa?»

«No, *monsieur*. È solo un caso. Capita che molti abbiano deciso di partire stasera.»

Monsieur Bouc sbuffò irritato.

«A Belgrado ci sarà il vagone letto da Atene» disse. «Ci sarà anche la carrozza Bucarest-Parigi, ma arriveremo a Belgrado solo domani sera. Il problema è per stanotte. Non c'è uno scompartimento libero, in seconda classe?»

«C'*è* uno scompartimento di seconda classe, *monsieur*...»

«Be', allora...»

«Ma è uno scompartimento per signora. C'è già una tedesca, una cameriera.»

«*Là là*, è imbarazzante» disse Monsieur Bouc.

«Non si preoccupi, amico mio» intervenne Poirot. «Dovrò viaggiare in una carrozza normale.»

«Niente affatto, niente affatto.» Si rivolse di nuovo al controllore. «Sono arrivati proprio tutti?»

«In realtà» disse l'uomo «c'è un passeggero che non è ancora arrivato.»

Parlava lentamente, in tono esitante.

«Dunque?»

«Lo scompartimento numero 7, di seconda classe. Il passeggero non si è ancora presentato, e mancano quattro minuti alle nove.»

«Chi è?»

«Un inglese.» Il controllore consultò il suo elenco. «Un certo Monsieur Harris.»

«Un nome di buon augurio» disse Poirot. «Ho letto anch'io Dickens. Monsieur Harris non arriverà.»

«Metta il bagaglio di *monsieur* al numero 7» disse Monsieur Bouc. «Se questo Monsieur Harris arriva gli diremo che è troppo tardi, che le cuccette non possono restare occupate così a lungo... sistemeremo le cose in un modo o nell'altro. Cosa me ne importa di un Monsieur Harris qualunque?»

«Come vuole, *monsieur*» disse il controllore.

Si rivolse al facchino di Poirot, indicandogli dove andare. Poi si fece da parte per permettere all'investigatore di salire sul treno.

«*Tout à fait au bout, monsieur*» disse. «Il penultimo scompartimento.»

Poirot percorse il corridoio procedendo con lentezza, poiché la maggior parte dei viaggiatori era in piedi fuori dagli scompartimenti.

I suoi garbati "*pardon*" venivano pronunciati con la regolarità di un orologio. Raggiunse finalmente lo scompartimento indicatogli. Dentro, nell'atto di sporgersi per prendere una valigia, c'era il giovanotto americano dell'Hotel Tokatlian.

Quando Poirot entrò, aggrottò la fronte.

«Mi scusi» disse. «Credo che lei si sia sbagliato.» E in un francese stentato: «*Je crois que vous avez un erreur*.»

Poirot rispose in inglese.

«È il signor Harris?»

«No, mi chiamo MacQueen. Io...»

Ma in quel momento la voce del controllore del vagone letto si fece sentire sopra la spalla di Poirot. Una voce sommessa, che parlava in tono di scusa.

«Non c'è nessun'altra cuccetta sul treno, *monsieur*. Il signore deve entrare qui.»

Così dicendo si accostò al finestrino del corridoio e incominciò a issare il bagaglio di Poirot.

Poirot notò divertito la sua aria contrita. Senza dubbio all'uomo era stata promessa una lauta mancia per lasciare solo nello scompartimento l'altro viaggiatore. Anche la mancia più munifica, tuttavia, perdeva la sua efficacia quando un direttore della Compagnia era sul treno e dava gli ordini.

Il controllore emerse dallo scompartimento, dopo aver sistemato le valigie sulla reticella.

«*Voilà, monsieur*» disse. «È tutto a posto. La sua è la cuccetta superiore, il numero 7. Partiamo fra un minuto.»

Si allontanò in fretta lungo il corridoio. Poirot rientrò nello scompartimento.

«Un fenomeno che mi è capitato raramente di vedere» disse in tono cordiale. «Un controllore di vagone letto che carica i bagagli! Una cosa inaudita!»

Il suo compagno di viaggio sorrise. Aveva superato la propria irritazione: probabilmente aveva deciso che tanto valeva prendere le cose con una certa filosofia.

«Il treno è molto pieno» disse.

Si udì un fischio, e un lungo, malinconico sibilo della locomotiva. Uscirono entrambi in corridoio.

All'esterno una voce gridò: «*En voiture.*»

«Ci siamo» disse MacQueen.

Ma non c'erano ancora. Si udì di nuovo il fischio.

«Guardi, signore,» esclamò all'improvviso il giovanotto «se preferisce la cuccetta inferiore, di certo più comoda... be', per me va benissimo.»

«No, no» protestò Poirot. «Non vorrei privarla...»

«Nessun problema...»

«Lei è troppo gentile...»

Seguirono educate proteste da entrambe le parti.

«È solo per una notte» spiegò Poirot. «A Belgrado...»

«Oh, capisco. Scenderà a Belgrado...»

«Non proprio. Vede...»

Ci fu uno scossone improvviso. Entrambi si volsero verso il finestrino e rimasero a guardare il lungo marciapiede illuminato che si allontanava lentamente.

L'Orient Express aveva incominciato il suo viaggio di tre giorni attraverso l'Europa.

Capitolo terzo

Poirot rifiuta un incarico

Il giorno seguente Hercule Poirot entrò un po' in ritardo nella carrozza ristorante. Si era alzato presto, aveva fatto colazione quasi da solo, e aveva passato la mattina a esaminare gli appunti sul caso che lo richiamava a Londra. Aveva visto pochi compagni di viaggio.

Monsieur Bouc, che era già seduto, gli dette il benvenuto gesticolando e gli indicò il posto vuoto davanti a sé. Poirot sedette e scoprì presto di trovarsi nella posizione privilegiata di chi viene servito per primo e con i bocconi migliori. Anche il cibo era più gustoso del consueto.

Solo quando arrivarono a un delicato formaggio cremoso, Monsieur Bouc permise alla sua attenzione di dedicarsi ad argomenti diversi da quello del cibo. Era arrivato alla fase del pasto in cui si diventa filosofi.

«Ah!» sospirò. «Se avessi la penna di un Balzac, descriverei questa scena.»

Fece un cenno intorno con la mano.

«È un'idea» disse Poirot.

«Ah, ne conviene? Non ci ha mai pensato nessuno, credo. Eppure... sembra fatto apposta per un romanzo, amico mio. Intorno a noi c'è gente di ogni condizione sociale, età e nazionalità. Per tre giorni, questi estranei saranno costretti a restare insieme. Dormiranno e mangeranno sotto lo stesso tetto, non potranno allontanarsi l'uno dall'altro. E alla fine dei tre giorni si separeranno, se ne andranno ognuno per la propria strada, per non rivedersi forse mai più.»

«Eppure» disse Poirot «immagini un incidente...»

«Ah no, amico mio...»

«Dal suo punto di vista sarebbe spiacevole, sono d'accordo. Tuttavia immaginiamolo, solo per un istante. Allora, forse, tutti costoro sarebbero legati fra loro... dalla morte.»

«Ancora vino» disse Monsieur Bouc, affrettandosi a versarlo. «Sta diventando morboso, *mon cher*. Forse è la digestione.»

«Non si può negare» convenne Poirot «che il cibo in Siria non fosse del tutto adatto al mio stomaco.»

Sorseggiò il vino. Poi, appoggiando la schiena alla spalliera, fece scorrere uno sguardo pensoso nel vagone ristorante. Vi erano sedute tredici persone di ogni condizione e nazionalità, come aveva detto Monsieur Bouc. Incominciò a studiarle.

Al tavolo di fronte c'erano tre uomini. Immaginò che fossero viaggiatori isolati classificati e piazzati lì dal giudizio infallibile dei camerieri. Un grosso italiano di carnagione scura si stuzzicava con entusiasmo i denti. Di fronte a lui un inglese dall'aria ordinata e frugale aveva l'imperturbabile espressione di disapprovazione del domestico bene educato. Accanto all'inglese c'era un corpulento americano in un completo sgargiante, probabilmente un commesso viaggiatore.

«Deve farsi sentire» diceva con voce alta e nasale.

L'italiano gesticolò senza reticenze con lo stuzzicadenti dopo esserselo tolto dai denti.

«Certo» approvò. «È quello che dico sempre.»

L'inglese guardò fuori dal finestrino e tossì.

Poirot spostò lo sguardo.

A un tavolino sedeva una delle vecchie signore più brutte che avesse mai visto. Era una bruttezza distinta: affascinava piuttosto che ripugnare. Sedeva con la schiena rigida. Intorno al collo aveva una collana di perle enormi e, per quanto improbabile potesse sembrare, autentiche. Le mani erano ricoperte di anelli. Aveva sulle spalle un mantello di ermellino. Un piccolissimo e costoso tocco nero stonava in maniera orribile con la faccia gialla da rospo che vi stava sotto.

In quel momento si rivolgeva al cameriere in tono distinto, cortese ma del tutto dispotico.

«Lei sarà tanto gentile da mettere nel mio scompartimento una bottiglia di acqua minerale e un bel bicchiere di aranciata. Farà in modo che stasera abbia pollo cotto senza salse e anche un po' di pesce bollito.»

Il cameriere rispose rispettosamente che sarebbe stato fatto.

La donna gli rivolse un impercettibile cenno del capo e si alzò. Il suo sguardo colse quello di Poirot e si soffermò per un attimo su di lui con aristocratica indifferenza.

«Quella è la principessa Dragomiroff» disse Monsieur Bouc a bassa voce. «È russa. Il marito ha convertito in denaro tutte le sue proprietà prima della rivoluzione e lo ha investito all'estero. È molto ricca. Una cosmopolita.»

Poirot annuì. Aveva sentito parlare della principessa Dragomiroff.

«È una personalità» disse Monsieur Bouc. «Brutta come il peccato, ma sa farsi valere. Non le pare?»

Poirot ne convenne.

A un altro dei tavoli più grandi era seduta Mary Debenham con due donne. Una di loro era alta, di mezza età, con una camicetta a scacchi e una gonna di tweed. Aveva una massa di capelli gialli stinti raccolti senza alcuna grazia in un grosso nodo, portava gli occhiali, e aveva un volto lungo, mite e amabile che ricordava una pecora. Ascoltava la terza donna, anziana e robusta, dal viso gradevole, che parlava lentamente con voce chiara e monotona senza dare segno di volersi fermare per riprendere fiato o perché fosse arrivata alla fine del discorso.

«... quindi mia figlia ha detto: "Santo cielo, non puoi applicare i metodi americani a questo paese. È naturale per la gente di qui essere indolente. Non hanno mai fretta." Ma con tutto questo vi stupireste di sapere che cosa riesce a fare il nostro collegio. Hanno un bel corpo insegnante. Immagino non ci sia nulla come l'istruzione. Dobbiamo applicare i nostri ideali occidentali e insegnare all'Oriente a riconoscerli. Mia figlia dice...»

Il treno entrò in una galleria. La voce calma e monotona si spense.

Al tavolo successivo, un tavolo piccolo, c'era il colonnello Arbuthnot, da solo. Teneva lo sguardo fisso sulla nuca di Mary Debenham. Non sedevano insieme. Eppure non sarebbe stato difficile. Perché?

Forse, pensò Poirot, Mary Debenham aveva alzato la guardia. Le istitutrici devono imparare a difendersi. Le apparenze sono importanti. Una ragazza che si guadagna da vivere deve essere discreta.

Il suo sguardo passò all'altro lato della carrozza. In fondo c'era una donna di mezza età, vestita di nero, dal volto largo e inespressivo. Tedesca o scandinava, pensò. Probabilmente una cameriera tedesca.

Dopo di lei c'era una coppia che sedeva chiacchierando animatamente. L'uomo indossava abiti inglesi di comodo tweed, ma non era inglese. Sebbene soltanto la nuca fosse visibile a Poirot, la sua forma e la postura delle spalle lo tradivano. Un uomo robusto e ben fatto. Voltò il capo all'improvviso e Poirot ne scorse il profilo. Era molto bello: sui trent'anni, aveva dei folti baffi biondi.

La donna seduta di fronte a lui era una ragazza di circa vent'anni. Soprabito e gonna nera attillati, camicetta di satin bianco, elegante piccolo tocco nero arditamente inclinato sulla fronte, all'ultima moda. Aveva un bel volto di aspetto esotico, la pelle bianchissima, grandi occhi bruni, capelli neri e lucenti. Fumava una sigaretta in un lungo bocchino. Le mani ben curate avevano le unghie rosso cupo. Portava all'anulare un grande smeraldo montato in platino. Nel suo sguardo e nella sua voce c'era una palese civetteria.

«*Elle est jolie... et chic*» mormorò Poirot. «Marito e moglie, eh?»

Monsieur Bouc annuì.

«Ambasciata ungherese, credo» disse. «Una bella coppia.»

C'erano solo altri due commensali: il compagno di viaggio di Poirot, MacQueen, e il suo datore di lavoro, il signor Ratchett. Quest'ultimo sedeva di fronte a Poirot, e per la seconda volta il piccolo belga studiò quel volto poco accattivante, osservando la falsa benevolenza dell'insieme e gli occhi piccoli, crudeli.

Monsieur Bouc notò chiaramente un cambiamento nell'espressione dell'amico.

«Sta guardando la sua belva feroce?» chiese.

Poirot annuì.

Mentre gli veniva portato il caffè, Monsieur Bouc si alzò in piedi. Avendo incominciato a mangiare prima di Poirot, aveva finito già da qualche tempo.

«Torno nel mio scompartimento» disse. «Venga presto a conversare con me.»

«Con piacere.»

Poirot sorseggiò il caffè e ordinò un liquore. Il cameriere passava da un tavolo all'altro con la cassetta del denaro per riscuotere i conti. La voce dell'anziana signora americana si alzò lamentosa.

«Mia figlia mi ha detto: "Prendi un blocchetto di buoni e non avrai problemi, nessun problema." Non è affatto così. A quanto pare, devono avere il dieci per cento di mancia, e poi c'è quella bottiglia di acqua minerale: uno strano tipo di acqua, per di più. Non hanno né Evian né Vichy, il che mi sembra strano.»

«È che devono... come dite... servire l'acqua del posto» spiegò la signora con la faccia da pecora.

«Be', mi sembra strano.» L'americana fissò con un certo disgusto il mucchietto di monete sul tavolo davanti a lei. «Guarda un po' che strana roba mi hanno dato. Dinari, o qualcosa del genere. Ha l'aria di un bel mucchio di spazzatura. Mia figlia mi ha detto...»

Mary Debenham scostò la sedia dal tavolo e si allontanò con un leggero inchino alle altre due signore. Il colonnello Arbuthnot si alzò e la seguì. Raccogliendo le monete tanto disprezzate, la signora americana uscì a sua volta, con la donna che sembrava una pecora alle calcagna. Gli ungheresi se n'erano già andati. Il vagone ristorante era vuoto, a parte Poirot, Ratchett e MacQueen.

Ratchett rivolse la parola al compagno, che si alzò e uscì dal vagone. Poi si alzò anche lui, ma invece di seguire MacQueen si lasciò cadere inaspettatamente sulla sedia di fronte a Poirot.

«Potrebbe farmi accendere?» La sua voce era morbida, leggermente nasale. «Mi chiamo Ratchett.»

Poirot si inchinò lievemente. Infilò la mano in tasca ed estrasse una scatola di fiammiferi che porse all'altro. Questi la prese, ma non accese un fiammifero.

«Credo di avere il piacere» proseguì «di parlare a Monsieur Hercule Poirot. È così?»

Poirot chinò di nuovo il capo.

«L'hanno informata in maniera corretta, *monsieur*.»

L'investigatore si rendeva conto che quegli strani occhi astuti lo esaminavano prima che l'altro riprendesse la parola.

«Al mio paese» disse «veniamo subito al dunque. Signor Poirot, voglio che lei assuma un incarico per me.»

Le sopracciglia di Hercule Poirot si sollevarono un poco.

«La mia clientela, *monsieur*, oggi è limitata. Assumo pochissimi incarichi.»

«Naturalmente, capisco. Ma questo, signor Poirot, significa molto denaro.» E ripeté con la sua voce morbida, persuasiva: «Molto denaro.»

Il piccolo belga rimase in silenzio per un attimo prima di chiedere: «Cosa vuole che faccia per lei, Monsieur Ratchett?»

«Sono ricco, signor Poirot, molto ricco. Gli uomini nella mia posizione hanno sempre qualche nemico. Anch'io ne ho uno.»

«Uno solo?»

«Che cosa intende esattamente?» chiese il signor Ratchett con asprezza.

«Stando alla mia esperienza, *monsieur*, quando un uomo è nella posizione di avere nemici, come dice lei, di solito non si tratta di un solo nemico.»

Ratchett sembrò sollevato dalla risposta di Poirot.

«Perbacco, sì» disse. «Capisco quello che vuole dire. Nemico o nemici, non importa. Quello che conta è la mia sicurezza.»

«Sicurezza?»

«La mia vita è stata minacciata, signor Poirot. Sono un uomo che sa badare molto bene a se stesso.» Dalla tasca della giacca la sua mano estrasse per un attimo una piccola pistola automatica. «Non credo di essere uno che si fa sorprendere nel sonno» continuò in tono minaccioso. «Ma, secondo me, le precauzioni non sono mai troppe. Credo che lei sia l'uomo giusto per il mio denaro, signor Poirot. E si ricordi, *molto* denaro.»

Poirot lo guardò pensoso per un momento. Il suo volto era del tutto privo di espressione. L'altro non avrebbe potuto neppure immaginare che cosa gli passava per la mente.

«Mi dispiace, *monsieur*» disse finalmente. «Non posso esserle utile.»

Ratchett lo guardò con l'aria di chi la sa lunga.

«Dica lei una cifra, allora.»

Poirot scosse il capo.

«Non capisce, *monsieur*. Ho avuto molta fortuna nella mia professione. Ho guadagnato abbastanza da soddisfare tanto i miei bisogni quanto i miei capricci. Adesso assumo solo gli incarichi che mi interessano.»

«Ha proprio un bel coraggio» disse Ratchett. «Ventimila dollari la tenterebbero?»

«No.»

«Se cerca di ottenere di più, non ci riuscirà. Conosco il valore delle cose.»

«Anch'io, Monsieur Ratchett.»

«Cosa c'è che non va nella mia proposta?»

Poirot si alzò.

«Voglia perdonare l'insolenza, ma la sua faccia non mi piace, Monsieur Ratchett» disse.

E con questo uscì dal vagone ristorante.

Capitolo quarto

Un grido nella notte

Quella sera il Simplon Orient Express arrivò a Belgrado alle nove meno un quarto. Non sarebbe ripartito fino alle 9.15, perciò Poirot scese sul marciapiede. Non vi rimase a lungo, tuttavia. Il freddo era pungente e sebbene il marciapiede fosse protetto, fuori cadeva una fitta nevicata. Si avviò verso lo scompartimento. Il controllore, che sul marciapiede batteva i piedi e agitava le braccia per riscaldarsi, gli rivolse la parola.

«Le sue valigie sono state spostate nello scompartimento numero 1, *monsieur*, lo scompartimento di Monsieur Bouc.»

«Ma dov'è allora Monsieur Bouc?»

«Si è trasferito nella carrozza proveniente da Atene che è stata appena agganciata.»

Poirot andò in cerca dell'amico. Monsieur Bouc respinse tutte le sue proteste.

«Non è nulla, assolutamente nulla. È più comodo così. Lei prosegue per l'Inghilterra, perciò è meglio che resti nella carrozza diretta per Calais. Io sto bene qui. È tranquillissimo. Questa carrozza è vuota, a parte me e un piccolo dottore greco. Ah, amico mio, che notte! Dicono che non ci fosse tanta neve da anni. Auguriamoci che non continui così. Non sono molto tranquillo, glielo confesso.»

Alle 9.15 il treno uscì puntuale dalla stazione, e poco dopo Poirot si alzò, augurò la buona notte all'amico e si diresse lungo il corridoio alla sua carrozza che era in testa, subito dopo il vagone ristorante.

A quel punto, al secondo giorno di viaggio, tra i passeggeri incominciavano a cadere le barriere. Il colonnello Arbuthnot, in piedi accanto alla porta del suo scompartimento, conversava con MacQueen.

Il giovane americano interruppe a metà una frase quando vide Poirot. Sembrava molto stupito.

«Perbacco,» esclamò «credevo che ci avesse lasciato. Ha detto che sarebbe sceso a Belgrado.»

«Mi ha frainteso» disse l'investigatore sorridendo. «Adesso che ricordo, il treno è partito da Istanbul proprio mentre ne parlavamo.»

«Ma il suo bagaglio è scomparso, amico.»

«È stato spostato in un altro scompartimento, tutto qui.»

«Oh, capisco.»

MacQueen riprese la conversazione con Arbuthnot e Poirot proseguì lungo il corridoio.

A due porte dal suo scompartimento, l'anziana signora americana, la signora Hubbard, parlava con la donna che sembrava una pecora ed era svedese. La signora Hubbard insisteva per dare una rivista all'altra.

«La prenda, davvero, mia cara» diceva. «Ho un sacco di cose da leggere. Santo cielo, questo freddo non è spaventoso?» Fece un cenno amichevole a Poirot.

«Lei è molto gentile» disse la signora svedese.

«Niente affatto. Mi auguro che dorma bene e che la sua testa vada meglio domani mattina.»

«È solo il freddo. Adesso mi faccio una tazza di tè.»

«Ha qualche aspirina? Ne è proprio certa? Io ne ho un sacco. Be', buona notte, mia cara.»

Si rivolse a Poirot, mentre l'altra si allontanava.

«Povera creatura, è svedese. A quanto ho capito è una specie di missionaria, un'insegnante. Una creatura simpatica ma non parla molto l'inglese. Mi è sembrata *molto* interessata quando le ho parlato di mia figlia.»

Ormai Poirot sapeva tutto della figlia della signora Hubbard. Chiunque capisse l'inglese sul treno lo sapeva! Che lei e il marito facevano parte del corpo insegnante di un grande collegio americano a Smirne, e che questo era il primo viaggio della signora Hubbard in Oriente, e che cosa pensava dei turchi e della loro sciatteria e delle condizioni delle loro strade.

La porta accanto a loro si aprì e ne uscì l'esile, pallido domestico. All'interno Poirot scorse il signor Ratchett seduto sul letto. Questi a sua volta vide l'investigatore e il suo volto cambiò, facendosi cupo di collera. Poi la porta si richiuse.

La signora Hubbard trasse un po' in disparte Poirot.

«Sa, quell'uomo mi fa una paura terribile. Oh, non il cameriere, l'altro, il suo padrone. Padrone, davvero! C'è *qualcosa che non va* in quell'uomo. Mia figlia dice sempre che ho molto intuito. "Quando la mamma ha un presentimento, ha sempre ragione da vendere", così dice mia figlia. Adesso ho un presentimento su quell'uomo. E ha la cabina proprio accanto alla mia, e questo non mi piace. Ieri notte ho messo le mie valigie contro la porta di comunicazione. Mi è sembrato di sentirlo abbassare la maniglia. Non mi stupirebbe affatto se venisse fuori che quell'uomo è un assassino, uno di quei banditi dei quali si legge. Sarò sciocca, ma così stanno le cose. Ho una paura maledetta di quell'uomo! Mia figlia diceva che avrei fatto un viaggio comodo, ma c'è qualcosa che non mi convince. Sarò sciocca, ma ho l'impressione che possa accadere di tutto. Di tutto. E non riesco a capire come quel giovanotto simpatico possa sopportare di fargli da segretario.»

Il colonnello Arbuthnot e MacQueen venivano verso di loro.

«Venga nel mio scompartimento» diceva MacQueen. «Non l'hanno ancora preparato per la notte. Quello che vorrei capire bene della vostra politica in India...»

I due uomini li superarono e proseguirono lungo il corridoio verso lo scompartimento di MacQueen. La signora Hubbard augurò la buona notte a Poirot.

«Penso che andrò subito a letto a leggere» disse. «Buona notte.»

«Buona notte, *madame*.»

Il piccolo belga entrò nel suo scompartimento, il primo dopo quello di Ratchett. Si spogliò e andò a letto, lesse per circa mezz'ora, poi spense la luce.

Si svegliò qualche ora dopo, e si svegliò di soprassalto. Sapeva che cosa l'aveva strappato al sonno: un forte gemito, quasi un grido, da qualche parte vicino a lui. Nello stesso momento risuonò lo squillo di un campanello.

Poirot si alzò a sedere sul letto e accese la luce. Notò che il treno era fermo, probabilmente a una stazione.

Quel grido lo aveva sbigottito. Ricordò che era Ratchett che occupava lo scompartimento accanto al suo. Scese dal letto e aprì la porta proprio mentre il controllore veniva di corsa lungo il corridoio e bussava alla porta di Ratchett. Poirot tenne la sua porta appena dischiusa e guardò. L'uomo bussò di nuovo. Squillò un campanello e si accese una luce sopra un'altra porta, un po' più lontano. Il controllore si guardò alle spalle.

Nello stesso momento una voce gridò nello scompartimento adiacente: «*Ce n'est rien. Je me suis trompé.*»

«*Bien, monsieur.*» Il controllore si allontanò in fretta, per andare a bussare alla porta da cui proveniva la nuova chiamata.

Poirot ritornò a letto, tranquillizzato, e spense la luce. Guardò l'orologio. Era esattamente l'una meno ventitré.

Capitolo quinto

Il delitto

Non riuscì a riaddormentarsi subito. Tanto per cominciare, gli mancava il movimento del treno. Se *era* una stazione, fuori c'era una strana calma. Per contrasto i rumori sul treno sembravano insolitamente forti.

Sentiva Ratchett muoversi nello scompartimento adiacente: uno scatto mentre abbassava il catino, il rumore dell'acqua che scorreva, uno sciacquio, e di nuovo lo scatto del catino che veniva richiuso. Nel corridoio si udirono alcuni passi, i passi soffocati di qualcuno in pantofole.

Hercule Poirot rimase sveglio a fissare il soffitto. Perché la stazione era così silenziosa? Aveva la gola secca. Aveva dimenticato di chiedere la sua solita bottiglia di acqua minerale. Guardò di nuovo l'orologio. L'una e un quarto. Avrebbe chiamato il controllore per chiedergli dell'acqua. Tese le dita verso il campanello, ma si fermò, sentendo risuonare uno squillo nel silenzio. Quell'uomo non avrebbe certo potuto rispondere nello stesso momento a tutte le chiamate.

Drin... drin... drin...

Continuava a suonare. Dov'era finito il controllore? Qualcuno stava perdendo la pazienza. Drin...

Chiunque fosse non staccava le dita dal campanello.

All'improvviso l'uomo arrivò a precipizio, mentre i suoi passi riecheggiavano nel corridoio. Bussò a una porta poco lontana da quella di Poirot.

Poi si udirono le voci, quella deferente del controllore, che si scusava, e quella di una donna, garrula e insistente.

La signora Hubbard.

Poirot sorrise fra sé.

L'alterco, se di questo si trattava, proseguì per qualche tempo in una proporzione di novanta – la voce della signora Hubbard – a dieci – quella rassicurante del controllore. Alla fine parve che le cose si aggiustassero.

Poirot udì distintamente: «*Bonne nuit, madame*» e una porta che si chiudeva.

Premette il campanello.

Il controllore arrivò subito. Sembrava preoccupato e accaldato.

«*De l'eau minérale, s'il vous plaît.*»

«*Bien, monsieur.*» Forse un ammiccare nello sguardo di Poirot lo indusse a confidarsi. «*La dame américaine...*»

«Sì?»

L'uomo si asciugò la fronte.

«Immagini che cosa ho passato con lei! Insisteva, insisteva proprio, che c'era un uomo nel suo scompartimento! Si figuri, *monsieur*. In uno spazio come questo.»

Accennò con la mano intorno a sé. «Dove si sarebbe potuto nascondere? Ho discusso con lei. Le ho fatto notare che è impossibile. Lei insisteva. Si è svegliata e c'era un uomo. E come avrebbe potuto uscire lasciando la porta chiusa alle sue spalle, dico io? Ma lei non ha voluto sentire ragioni. Come se non ci fosse già abbastanza di cui preoccuparsi. Con questa neve...»

«Neve?»

«Ma sì, *monsieur*, non l'ha notato? Il treno è fermo. Siamo incappati in una tempesta di neve. Dio sa quanto resteremo qui. Ricordo che una volta ha nevicato per sette giorni.»

«Dove siamo?»

«Fra Vinkovci e Brod.»

«*Là là*» disse l'investigatore irritato.

L'uomo si allontanò e tornò con l'acqua.

«*Bonsoir, monsieur.*»

Poirot ne bevve un bicchiere e si accinse a dormire.

Era proprio sul punto di appisolarsi quando qualcosa lo svegliò di nuovo. Questa volta era come se qualcosa di pesante fosse caduto con un tonfo contro la porta.

Balzò in piedi, aprì e guardò fuori. Niente. Ma alla sua destra, nel corridoio, una donna avvolta in un kimono scarlatto si allontanava da lui. All'altro capo del corridoio, sul suo seggiolino, il controllore annotava cifre su grandi fogli di carta. C'era un silenzio di morte.

«Decisamente ho i nervi tesi» disse Poirot ritornando a letto. A quel punto dormì fino al mattino.

Quando si svegliò, erano ancora fermi. Alzò la tendina e guardò fuori. Pesanti banchi di neve circondavano il treno.

Guardò l'orologio e vide che erano le nove passate.

Alle dieci meno un quarto, elegante come di consueto, si diresse al vagone ristorante, dove si stava levando un coro di lamenti.

Qualsiasi barriera potesse essere esistita fra i passeggeri era ormai del tutto crollata. Tutti erano uniti da una comune sventura. La signora Hubbard si lamentava più degli altri.

«E mia figlia diceva che non c'era niente di più facile. Non avevo che da starmene seduta in treno fino a Parigi. E adesso possiamo restare qui per giorni e giorni» si lamentava. «E la nave salpa dopodomani. Come farò a prenderla? E non posso neppure telegrafare per annullare la prenotazione. Mi sento troppo sconvolta per parlarne.»

L'italiano disse che anche lui aveva affari urgenti a Milano. Il grosso americano affermò che era "una disgrazia, signora" ed espresse la speranza che il treno potesse riguadagnare il tempo perduto.

«Mia sorella e i suoi figli mi aspettare» disse la signora svedese, piangendo. «Io non comunico con loro. Che cosa loro pensare? Diranno che mi è accaduto qualcosa di brutto.»

«Quanto dovremo restare qui?» chiese Mary Debenham. «Qualcuno lo *sa*?»

La sua voce sembrava impaziente, ma Poirot notò che non c'era traccia dell'apprensione quasi febbrile che la agitava durante la sosta del Taurus Express.

La signora Hubbard era ripartita in quarta.

«Non c'è nessuno che sappia qualcosa su questo treno, nessuno che cerchi di fare qualcosa. Solo un mucchio di stranieri buoni a nulla. Se fossimo a casa, ci sarebbe qualcuno che *cercherebbe* almeno di fare qualcosa.»

Arbuthnot si rivolse a Poirot in un puntiglioso francese britannico.

«*Vous êtes un directeur de la ligne, je crois, monsieur. Vous pouvez nous dire...*»

Poirot lo corresse sorridendo.

«No, no» disse in inglese. «Non lo sono. Mi confonde con il mio amico Monsieur Bouc.»

«Oh! Mi dispiace.»

«Non c'è di che. È comprensibilissimo. Occupo lo scompartimento che prima occupava lui.»

Monsieur Bouc non si trovava nel vagone ristorante. Poirot si guardò intorno per constatare se mancasse qualcun altro.

La principessa Dragomiroff e la coppia ungherese erano assenti. E anche Ratchett, il suo cameriere, e la cameriera tedesca.

La signora svedese si asciugò gli occhi.

«Sono sciocca» disse. «Sono una bambina a piangere. Tutto per il meglio, qualunque cosa succede.»

Ma il suo spirito cristiano era lungi dall'essere condiviso.

«Va tutto bene» disse MacQueen irrequieto. «Ma possiamo restare qui per giorni.»

«Che paese è questo, fra l'altro?» chiese la signora Hubbard con voce lacrimosa. Sentendosi rispondere che era la Iugoslavia disse: «Oh! Uno di quei posti balcanici. Che cosa ci si può aspettare?»

«Lei è l'unica a dimostrarsi paziente, *mademoiselle*» disse Poirot alla signorina Debenham.

La giovane donna alzò leggermente le spalle.

«Che cosa possiamo farci?»

«È una filosofa, *mademoiselle*.»

«Quello implica un atteggiamento distaccato. Credo che il mio atteggiamento sia più egoistico. Ho imparato a evitare ogni emozione inutile.»

Non lo guardava neppure. Il suo sguardo era fisso oltre a lui, fuori dal finestrino, dove la neve si era posata in cumuli pesanti.

«Lei ha un carattere forte, *mademoiselle*» disse Poirot con dolcezza. «Credo che sia la più forte tra noi.»

«Oh, no. No davvero. Conosco qualcuno molto più forte di me.»

«E cioè...?»

Lei sembrò tornare in sé all'improvviso, rendendosi conto che si rivolgeva a un estraneo, a uno straniero con il quale, fino a quella mattina, aveva scambiato solo una mezza dozzina di frasi.

Rise educatamente ma in modo distaccato.

«Be', quella vecchia signora, per esempio. Probabilmente l'ha notata. Una bruttissima vecchia signora, ma piuttosto affascinante. Le basta alzare un dito e chiedere qualcosa con voce educata, e tutto il treno corre.»

«Corre anche per il mio amico Monsieur Bouc» disse Poirot. «Ma è solo perché è un direttore della ferrovia, non perché abbia un carattere autoritario.»

Mary Debenham sorrise.

Era ormai giorno inoltrato. Molti, fra i quali Poirot, restarono nel vagone ristorante. Rimanere insieme dava l'impressione, per il momento, di far passare più facilmente il tempo. Sentì parlare ancora un bel po' della figlia della signora Hubbard, delle abitudini del defunto signor Hubbard, da quando si alzava la mattina e incominciava a far colazione con un piatto di cereali fino a quando andava a letto la sera, con le calze da notte che la signora Hubbard aveva l'abitudine di fargli a maglia con le proprie mani.

Fu mentre ascoltava un confuso resoconto degli scopi missionari della signora svedese che uno dei controllori dei vagoni letto entrò nella carrozza, fermandosi accanto a lui.

«*Pardon, monsieur.*»

«Sì?»

«Monsieur Bouc le manda i suoi omaggi e le sarebbe grato se fosse tanto gentile da venire da lui per qualche minuto.»

Poirot si alzò, espresse le sue scuse alla signora svedese e seguì l'uomo fuori dal vagone ristorante.

Non era il suo controllore, ma un uomo biondo e robusto.

Poirot gli tenne dietro nel corridoio della sua carrozza e in quello della carrozza contigua. L'uomo bussò a una porta, poi si fece da parte per lasciar passare l'investigatore.

Lo scompartimento non era quello di Monsieur Bouc: era di seconda classe, scelto probabilmente per le sue dimensioni un po' più grandi. Non si poteva negare che desse l'impressione di essere affollato.

Monsieur Bouc sedeva su un seggiolino nell'angolo opposto, e in quello accanto alla finestra, di fronte a lui, c'era un uomo piccolo e bruno che guardava la neve. In piedi, in posizione tale da impedire a Poirot di avanzare ulteriormente, c'erano un uomo imponente in uniforme azzurra – il capotreno – e il controllore del suo vagone letto.

«Ah, mio buon amico!» gridò Monsieur Bouc. «Entri. Abbiamo bisogno di lei.»

L'ometto al finestrino scivolò sul sedile, Poirot s'infilò fra gli altri due e si sedette dirimpetto all'amico.

L'espressione di Monsieur Bouc mandò, come avrebbe detto lui, il suo cervello in ebollizione. Era chiaro che doveva essere accaduto qualcosa fuori dal comune.

«Che cosa è successo?» chiese.

«Ha tutto il diritto di chiederlo. Tanto per cominciare questa neve, questa sosta forzata. E adesso...»

Si interruppe, e il controllore del vagone letto emise una specie di gemito strozzato.

«E adesso che cosa?»

«E adesso c'è un passeggero morto nella sua cuccetta, pugnalato.»

Monsieur Bouc parlava con una sorta di calma disperazione.

«Un passeggero? Quale passeggero?»

«Un americano. Un uomo di nome, di nome...» Consultò alcune note davanti a lui. «Ratchett... È così, Ratchett?»

«Sì, *monsieur*» disse il controllore, inghiottendo. Poirot lo guardò. Era bianco come un cencio.

«Sarà meglio che facciate sedere quell'uomo» disse. «Altrimenti potrebbe svenire.»

Il capotreno si spostò leggermente e il controllore del vagone letto si lasciò cadere nell'angolo, nascondendosi il volto tra le mani.

«Brr!» disse Poirot. «È davvero una cosa seria!»

«Certo che lo è. Tanto per cominciare, un omicidio, e già questa è una calamità di prima categoria. Ma non si tratta solo di questo, le circostanze sono inconsuete. Eccoci qua, fermi in mezzo alla neve. Possiamo restare qui per ore, o addirittura giorni! Un'altra circostanza: passando attraverso molti paesi, abbiamo sempre sul treno la polizia statale. Ma non in Iugoslavia. Capisce?»

«È una situazione molto difficile» disse l'investigatore.

«E il peggio deve ancora venire. Il dottor Constantine... ho dimenticato di presentarvi: il dottor Constantine, Monsieur Poirot.»

L'ometto bruno si inchinò e Poirot gli restituì l'inchino.

«Il dottor Constantine è del parere che la morte sia avvenuta intorno all'una della notte scorsa.»

«È difficile essere precisi in questi casi,» disse il dottore «ma penso di poter affermare che la morte è avvenuta fra mezzanotte e le due.»

«Quando è stato visto vivo per l'ultima volta Monsieur Ratchett?» chiese Poirot.

«Sappiamo che era vivo all'una meno venti circa, quando ha parlato al controllore» rispose Monsieur Bouc.

«Questo è esatto» disse Poirot. «Ho sentito io stesso quanto è accaduto. È l'ultima cosa che sappiamo?»

«Sì.»

Poirot si volse al dottore, che riprese a parlare.

«Il finestrino dello scompartimento di Monsieur Ratchett è stato trovato spalancato. Questo farebbe pensare che l'assassino sia fuggito da quella parte. Ma secondo me il finestrino aperto è un falso indizio. Chiunque fosse uscito da lì avrebbe lasciato impronte chiare sulla neve. E non ce n'era nessuna.»

«Quando è stato scoperto il delitto?» chiese Poirot.

«Michel!»

Il controllore del vagone letto si rizzò a sedere. Era ancora pallido e spaventato.

«Dica a questi signori che cosa è accaduto esattamente» gli ordinò Monsieur Bouc.

L'uomo parlò a scatti.

«Il cameriere di Monsieur Ratchett ha bussato più volte alla sua porta stamattina. Nessuno ha risposto. Poi, mezz'ora fa, è venuto da me un cameriere del vagone ristorante. Voleva sapere se *monsieur* avrebbe fatto colazione. Erano le undici, capite.

«Gli ho aperto la porta con la mia chiave. Ma era chiusa anche con la catena. Nessuno rispondeva, e all'interno era tutto tranquillo, e freddo, ma freddo! Con il finestrino aperto e la neve che entrava. Ho pensato che forse il signore aveva avuto un colpo. Sono andato dal capotreno. Abbiamo rotto la catena e siamo entrati. Era... ah! *C'était terrible!*»

Si nascose di nuovo la faccia tra le mani.

«La porta era chiusa con la catena dall'interno» disse pensoso Poirot. «Non si è trattato di un suicidio, eh?»

Il dottore greco rise sardonico.

«Può un uomo suicidarsi pugnalandosi in dieci, dodici, quindici punti diversi?» chiese.

Poirot spalancò gli occhi.

«È di una ferocia incredibile» disse.

«È stata una donna» disse il capotreno, prendendo

per la prima volta la parola. «Date retta a me, è stata una donna. Solo una donna colpirebbe così.»

Il dottor Constantine corrugò la fronte.

«Si deve trattare di una donna molto forte» disse. «Non voglio usare termini tecnici, servirebbe solo a confondere le idee, ma posso assicurarvi che uno o due di quei colpi sono stati inferti con tale forza da trapassare fasce dure di ossa e muscoli.»

«Non è stato un delitto pulito, scientifico» osservò Poirot.

«È stato il meno scientifico possibile» disse il dottor Constantine. «I colpi sembrano essere stati vibrati a casaccio. Alcuni hanno raggiunto il bersaglio soltanto di striscio, non hanno quasi provocato danni. È come se qualcuno avesse chiuso gli occhi, colpendo ciecamente più volte in preda a un attacco di follia.»

«*C'est une femme*» ripeté il capotreno. «Le donne sono così. Quando sono arrabbiate hanno molta forza.» Annuì con tanta convinzione che tutti sospettarono avesse qualche esperienza personale in proposito.

«Forse ho qualcosa da aggiungere al vostro bagaglio di conoscenze» disse Poirot. «Monsieur Ratchett ha parlato con me ieri. Per quanto ho potuto capire, mi ha detto di essere in pericolo di vita.»

«"Fatto fuori", così dicono gli americani, non è vero?» disse Monsieur Bouc. «Allora non si tratta di una donna. È un gangster, o un "pistolero".»

Il capotreno sembrava addolorato che la sua teoria non avesse avuto alcun seguito.

«Se è così,» disse Poirot «sembra sia stato un vero dilettante a farlo.»

Il suo tono esprimeva una profonda riprovazione professionale.

«C'è un grosso americano sul treno,» disse Monsieur Bouc, perseguendo la propria tesi «un uomo di aspetto comune vestito in modo spaventoso. Mastica gomma, cosa che credo non si faccia negli ambienti per bene. Sa di chi parlo?»

Il controllore del vagone letto al quale si era rivolto annuì.

«*Oui, monsieur*, il numero 16. Ma non può essere stato lui, lo avrei visto entrare e uscire dallo scompartimento.»

«Avrebbe potuto non vederlo. Ma ci arriveremo subito. Il punto è: che cosa facciamo?» Guardò Poirot.

L'investigatore gli restituì lo sguardo.

«Su, amico mio» disse Monsieur Bouc. «Lei sa quanto sto per chiederle. Conosco le sue capacità. Prenda in mano questa indagine! No, no, non rifiuti. Per noi è importante, capisce? Parlo della Compagnia internazionale dei Vagoni letto. Quando arriverà la polizia iugoslava, quanto sarebbe semplice se potessimo offrire la soluzione! Altrimenti ritardi, seccature, e mille altri inconvenienti. Forse, chissà, gravi seccature per persone innocenti. Invece... *lei* risolve il mistero. Noi diciamo: "C'è stato un omicidio... *questo* è l'assassino".»

«E se non lo risolvessi?»

«Ah! *Mon cher*.» La voce di Monsieur Bouc si fece decisamente carezzevole. «Conosco la sua fama. So qualcosa dei suoi metodi. Questo è il caso ideale per lei. Esaminare i precedenti di queste persone, valutare la loro buona fede, tutto ciò richiede tempo e infinite seccature. Ma non l'ho forse sentita dire spesso che per risolvere un caso basta sedersi in poltrona e pensare? Lo faccia. Interroghi i passeggeri del treno, esamini il corpo, gli indizi che abbiamo a disposizione... Ho fiducia in lei! Sono certo che la sua non è vana millanteria. Si sieda e pensi; usi, come l'ho sentita dire tanto spesso, le piccole cellule grigie del suo cervello, e *saprà*!»

Si sporse in avanti, guardando con affetto l'amico.

«La sua fiducia mi commuove, amico mio» dichiarò Poirot. «Come dice lei, si tratta di un caso difficile. Io stesso ieri sera... ma non ne parleremo ora. In verità, la questione mi incuriosisce. Neppure mezz'ora fa, pensavo a quante ore di noia ci aspettano mentre siamo bloccati qui. E adesso mi ritrovo un enigma a portata di mano.»

«Accetta allora?» chiese impaziente Monsieur Bouc.

«*C'est entendu*. Metta la cosa in mano mia.»

«Bene, siamo tutti ai suoi ordini.»

«Tanto per cominciare, vorrei una pianta del vagone Istanbul-Calais, con una nota sulle persone che occupavano i diversi scompartimenti, e mi piacerebbe anche vedere i passaporti e i biglietti.»

«Michel glieli procurerà.»

Il controllore del vagone letto uscì dallo scompartimento.

«Quali altri passeggeri ci sono sul treno?» chiese Poirot.

«In questa carrozza il dottor Constantine e io siamo gli unici viaggiatori. Nella carrozza da Bucarest c'è un vecchio signore zoppo. Il controllore lo conosce bene. E poi ci sono le carrozze ordinarie, ma quelle non ci riguardano, perché ieri sera dopo cena sono state chiuse.

Davanti alla carrozza Istanbul-Calais c'è solo il vagone ristorante.»

«In tal caso» disse lentamente Poirot «sembra che dobbiamo cercare il nostro assassino nella carrozza Istanbul-Calais.» Si rivolse al dottore. «Alludeva a questo, credo?»

Il greco annuì.

«A mezzanotte e mezzo siamo incappati nella tempesta di neve. Da allora nessuno può aver lasciato il treno.»

«*L'assassino è con noi, su questo treno...*» disse in tono solenne Monsieur Bouc.

Capitolo sesto

Una donna?

«Prima di tutto» disse Poirot «mi piacerebbe scambiare qualche parola con il giovane Monsieur MacQueen. Potrebbe essere in grado di darci informazioni importanti.»

«Senza dubbio» convenne Monsieur Bouc.

Si rivolse al capotreno.

«Faccia venire qui Monsieur MacQueen.»

Il capotreno uscì dalla carrozza.

Ritornò il controllore con una pila di passaporti e biglietti. Monsieur Bouc li prese.

«Grazie, Michel. Adesso penso sarebbe meglio se ritornasse al suo posto. Raccoglieremo più tardi la sua testimonianza ufficiale.»

«Benissimo, *monsieur*.»

Michel lasciò a sua volta la carrozza.

«Dopo aver visto il giovane MacQueen» disse Poirot

«forse *monsieur le docteur* vorrà venire con me nella carrozza del defunto.»

«Senza dubbio.»

«Una volta che avremo finito là...»

Ma in quel momento tornò il capotreno con Hector MacQueen.

Monsieur Bouc si alzò.

«Siamo un po' pigiati qui» disse in tono cordiale. «Prenda il mio posto, Monsieur MacQueen. Monsieur Poirot siederà di fronte a lei, così.»

Si rivolse al capotreno.

«Faccia uscire tutti dal vagone ristorante» disse «e lo lasci libero per Monsieur Poirot. Farà là i suoi interrogatori, *mon cher*?»

«Sarebbe molto comodo, sì» convenne Poirot.

MacQueen era rimasto a guardare dall'uno all'altro, senza riuscire a seguire perfettamente il loro rapido francese.

«*Qu'est-ce qu'il y a?*» incominciò con difficoltà. «*Pourquoi...?*»

Con un gesto energico Poirot lo indirizzò al sedile nell'angolo. Il giovane si sedette e ricominciò subito.

«*Pourquoi...?*» Si interruppe e tornò alla sua lingua. «Che cosa succede sul treno? È accaduto qualcosa?»

Guardò di nuovo dall'uno all'altro. Poirot annuì.

«Proprio così. È accaduto qualcosa. Si prepari a un colpo. *Il suo datore di lavoro, Monsieur Ratchett, è morto!*»

La bocca di MacQueen si serrò in un fischio. A parte il fatto che i suoi occhi si fecero un po' più brillanti, non dette alcun segno di turbamento o dispiacere.

«Così l'hanno preso, dopotutto» disse.

«Che cosa intende di preciso con queste parole, Monsieur MacQueen?»

MacQueen esitava.

«Intende dire» chiese Poirot «che Monsieur Ratchett è stato assassinato?»

«Non lo è stato?» Questa volta MacQueen si mostrò stupito. «Ma certo...» disse lentamente. «È proprio quello che ho pensato. Vuole dire che è morto nel sonno? Perbacco, il vecchio era forte come, forte come...»

Si interruppe, senza trovare un paragone adatto.

«No, no» disse Poirot. «La sua illazione era esatta. Monsieur Ratchett è stato assassinato. Pugnalato. Ma mi piacerebbe sapere perché lei era tanto sicuro che si trattasse di assassinio, e non di morte naturale.»

MacQueen esitò.

«Devo vederci chiaro» disse. «Lei chi è esattamente? E che cosa ha a che fare con tutto questo?»

«Rappresento la Compagnia internazionale dei Vagoni letto.» Poirot fece una pausa, prima di aggiungere: «Sono un investigatore. Mi chiamo Hercule Poirot.»

Se si aspettava di fare effetto restò deluso. MacQueen si limitò a dire: «Oh, davvero?» E aspettò che continuasse.

«Forse conosce il mio nome.»

«Be', mi sembra piuttosto familiare... soltanto che avevo sempre pensato si trattasse di un sarto per signora.»

Hercule Poirot lo guardò con disgusto.

«È incredibile!» disse.

«Che cosa è incredibile?»

«Niente, niente. Andiamo avanti con il caso di cui ci

stiamo occupando. Voglio che mi dica, Monsieur MacQueen, tutto quello che sa del morto. Non era imparentato con lui?»

«No. Sono... ero il suo segretario.»

«Da quanto tempo lo era?»

«Solo da un anno.»

«La prego di dirmi tutto quello che sa.»

«Be', ho conosciuto il signor Ratchett un anno fa quando ero in Persia...»

Poirot lo interruppe.

«Che cosa faceva là?»

«Ci ero andato da New York per indagare su una concessione petrolifera. Non penso che lei voglia sapere tutta la storia. I miei amici e io ci eravamo fatti abbindolare e ci siamo ritrovati a mal partito. Il signor Ratchett era nel mio stesso albergo. Aveva appena litigato con il segretario. Mi ha offerto il posto e io l'ho accettato. Avevo l'acqua alla gola, ed ero lieto di trovare un lavoro ben pagato bell'e pronto.»

«E da allora?»

«Abbiamo viaggiato. Il signor Ratchett voleva vedere il mondo. Era ostacolato dal fatto di non conoscere nessuna lingua. Io gli facevo più da accompagnatore turistico che da segretario. Era una vita piacevole.»

«Adesso mi dica tutto quello che sa del suo datore di lavoro.»

Il giovanotto alzò le spalle. Un'espressione perplessa gli si dipinse sul volto.

«Non è facile.»

«Qual era il suo nome completo?»

«Samuel Edward Ratchett.»

«Era cittadino americano?»
«Sì.»
«Da quale parte dell'America veniva?»
«Non lo so.»
«Be', mi dica quello che sa.»
«La verità è, signor Poirot, che non so proprio nulla. Il signor Ratchett non parlava mai di sé, o della sua vita in America.»
«E perché pensa che non lo facesse?»
«Non lo so. Immaginavo che potesse vergognarsi delle sue origini. Alcuni se ne vergognano.»
«Le sembra una soluzione soddisfacente?»
«Sinceramente no.»
«Aveva qualche parente?»
«Non ha mai parlato di nessuno.»
Poirot insistette.
«Lei si deve essere fatto *qualche* idea, Monsieur MacQueen.»
«Be', sì. Tanto per cominciare, non credo che Ratchett fosse il suo vero nome. Credo che abbia lasciato l'America per sfuggire a qualcuno o a qualcosa. Credo che ci sia riuscito fino a poche settimane fa.»
«E poi?»
«Ha incominciato a ricevere lettere, lettere minatorie.»
«Le ha viste?»
«Sì. Era mio compito occuparmi della sua corrispondenza. La prima era arrivata quindici giorni fa.»
«Queste lettere venivano distrutte?»
«No, credo di averne ancora un paio nel mio schedario. So che Ratchett ne strappò una in un accesso di collera. Vuole che gliele porti?»

«Se vuole essere tanto gentile.»

MacQueen uscì dallo scompartimento. Tornò pochi minuti dopo, deponendo due fogli di carta da lettera alquanto sporchi davanti a Poirot.

La prima lettera diceva:

PENSI DI AVERCI GIOCATO E DI ESSERTELA CAVATA, VERO? TI SBAGLI DI GROSSO. SIAMO SULLE TUE TRACCE, RATCHETT, E TI PRENDEREMO!

Non c'era nessuna firma, naturalmente.

Senza fare commenti a parte sollevare le sopracciglia, l'investigatore prese la seconda lettera.

TI PORTEREMO A FARE UN BEL GIRO, RATCHETT. MOLTO PRESTO. TI PRENDEREMO, CHIARO?

Poirot depose il foglio.

«Lo stile è monotono!» disse. «Più della grafia.»

MacQueen lo fissò stupito.

«Lei non lo avrà notato» continuò in tono cordiale Poirot. «Ci vuole un occhio allenato a queste cose. Questa lettera non è stata scritta da una sola persona, Monsieur MacQueen. L'hanno scritta due o più persone, alternandosi a ogni singolo carattere. Inoltre, i caratteri sono in stampatello. Questo rende più difficile il compito di identificare la grafia.» Fece una pausa, poi disse: «Sa che Monsieur Ratchett si è rivolto a me perché lo aiutassi?»

«A *lei*?»

Il tono sbalordito di MacQueen diceva senza alcun dubbio a Poirot che il giovanotto non ne era a conoscenza.

«Sì. Era preoccupato. Mi dica, come si comportò quando ricevette la prima lettera?»

MacQueen esitò.

«È difficile a dirsi. La cestinò ridendo con quel suo fare tranquillo. Ma in qualche modo...» Rabbrividì impercettibilmente. «In qualche modo sentivo che sotto quella tranquillità si agitava un turbinio di emozioni.»

Poirot annuì.

«Monsieur MacQueen,» chiese poi «vuole dirmi, in tutta franchezza, come giudicava davvero il suo datore di lavoro? Le piaceva?»

Hector MacQueen ci mise qualche minuto a rispondere.

«No» disse finalmente. «Non mi piaceva.»

«Perché?»

«Non saprei con certezza. I suoi modi erano sempre molto piacevoli.» Fece una pausa. «Le dirò la verità, Monsieur Poirot. Non mi piaceva e non mi fidavo di lui. Sono certo che era un uomo crudele e pericoloso. Devo confessare, tuttavia, di non avere alcun motivo per giustificare la mia opinione.»

«Grazie, Monsieur MacQueen. Ancora una domanda: quando ha visto per l'ultima volta Monsieur Ratchett vivo?»

«Ieri sera verso...» Il giovane rifletté per un attimo. «Verso le dieci, direi. Sono entrato nel suo scompartimento per prendere alcuni appunti.»

«A che proposito?»

«A proposito di alcune piastrelle e vasi antichi acquistati in Persia. Quanto gli avevano consegnato non corrispondeva a quello che aveva comprato. Era seguita una lunga, controversa corrispondenza sull'argomento.»

«Ed è stata l'ultima volta che ha visto Monsieur Ratchett vivo?»

«Sì, credo di sì.»

«Sa quando Monsieur Ratchett ha ricevuto l'ultima lettera minatoria?»

«La mattina del giorno in cui abbiamo lasciato Costantinopoli.»

«C'è ancora una domanda che le devo rivolgere, Monsieur MacQueen: era in buoni rapporti con il suo datore di lavoro?»

Gli occhi del giovanotto scintillarono all'improvviso.

«È a questo punto che dovrei crollare, tremando da capo a piedi. Per dirla come in un best seller: "Non c'è niente a mio carico." Ratchett e io andavamo perfettamente d'accordo.»

«Forse vorrà lasciarmi il suo nome completo e il suo indirizzo in America, Monsieur MacQueen.»

Il giovane gli diede il proprio nome, Hector Willard MacQueen, e un indirizzo di New York.

Poirot si appoggiò con la schiena ai cuscini.

«È tutto per ora, Monsieur MacQueen» disse. «Le sarei obbligato se per il momento tenesse per lei la notizia della morte di Monsieur Ratchett.»

«Il suo cameriere, Masterman, dovrà saperlo.»

«Probabilmente lo sa già» disse brusco Poirot. «Se è così, cerchi di fargli tenere a freno la lingua.»

«Non dovrebbe essere difficile. È un inglese e, come dice lui, "sta sulle sue". Non ha molta stima degli americani e non si esprime a proposito di qualsiasi altra nazionalità.»

«Grazie, Monsieur MacQueen.»

L'americano uscì dalla carrozza.

«Ebbene?» chiese Bouc. «Lei crede a quanto ha detto quel giovanotto?»

«Sembra onesto e sincero. Non ha finto di amare il suo datore di lavoro come avrebbe fatto probabilmente se fosse stato coinvolto in qualche modo nel delitto. È vero che Monsieur Ratchett non gli ha detto di avere cercato inutilmente di assicurarsi i miei servigi, ma non credo che questa sia una circostanza sospetta. Immagino che Monsieur Ratchett fosse un tipo che si teneva tutto per sé ogni volta che era possibile.»

«Dunque, ritiene estranea al delitto almeno una persona» disse con aria gioviale Monsieur Bouc.

Poirot gli lanciò uno sguardo di rimprovero.

«Io sospetto di tutti fino all'ultimo momento» replicò. «Ma devo riconoscere che non riesco a vedere questo giovane controllato e prudente perdere la testa e pugnalare la sua vittima dodici o quindici volte. Non si accorda con la sua psicologia, per niente.»

«No» osservò il signor Bouc. «È il gesto di un uomo reso pazzo da un odio mortale, e fa pensare piuttosto a un temperamento latino. O, come non si stancava di ripetere il nostro amico capotreno, a una donna.»

Capitolo settimo

Il cadavere

Seguito dal dottor Constantine, Poirot si diresse alla carrozza successiva e allo scompartimento occupato dalla vittima. Il controllore venne ad aprire la porta con la sua chiave.

I due uomini entrarono. Poirot si rivolse al compagno.

«In che misura la scena del crimine è stata alterata?»

«Non è stato toccato nulla. Ho fatto attenzione a non spostare il corpo mentre lo esaminavo.»

L'investigatore annuì. Si guardò intorno.

La prima cosa che colpì la sua attenzione fu il freddo intenso. Il finestrino era stato abbassato al massimo e la tendina sollevata.

«Brr» fece Poirot.

L'altro sorrise.

«Ho preferito non chiuderlo» disse.

Poirot esaminò con cura il finestrino.

«Ha ragione» dichiarò. «Nessuno è uscito dal treno

da questa parte. Forse il finestrino aperto avrebbe dovuto suggerirlo, ma se questa era l'intenzione, la neve ha impedito che l'assassino raggiungesse il suo obiettivo.»

Controllò attentamente la cornice del finestrino. Estraendo dalla sua tasca una scatoletta, vi soffiò sopra un po' di polvere.

«Nessuna impronta» disse. «Ciò significa che è stata pulita. Be', se ci fossero state impronte ci avrebbero detto ben poco. Sarebbero state quelle di Monsieur Ratchett o del cameriere o del controllore. Ai giorni nostri, gli assassini non fanno errori del genere. E stando così le cose» aggiunse in tono allegro «tanto vale che chiudiamo il finestrino. Decisamente qui è un vero frigorifero!»

Fece seguire alle parole i fatti e poi rivolse la sua attenzione alla figura immobile che giaceva nella cuccetta.

Ratchett era disteso sulla schiena. La giacca del pigiama, coperta di macchie color ruggine, era stata sbottonata e aperta.

«Dovevo esaminare le ferite, capisce» spiegò il dottore.

Poirot annuì. Si chinò sul corpo. Poi si rialzò con una piccola smorfia.

«Non è gradevole» disse. «È stato colpito ripetutamente. Quante sono le ferite?»

«Ne ho trovate dodici. Una o due sono così leggere da essere solo graffi. D'altra parte, almeno tre sarebbero state in grado di provocare la morte.»

Qualcosa nel tono del dottore attrasse l'attenzione di Poirot. Gli lanciò uno sguardo penetrante. Il piccolo greco stava in piedi accanto al corpo, fissandolo con espressione perplessa.

«C'è qualcosa di strano che la colpisce, vero?» chiese l'investigatore in tono gentile. «Parli, amico mio. C'è qualcosa che la rende perplesso?»

«Ha ragione» riconobbe l'altro.

«Di che cosa si tratta?»

«Vede queste due ferite, qui e qui?» Constantine accennò con il dito. «Sono profonde, ogni ferita ha reciso molti vasi sanguigni, eppure i lembi non sono aperti. Non hanno sanguinato come ci si sarebbe aspettato.»

«Questo che cosa suggerisce?»

«Che l'uomo fosse già morto, morto da qualche tempo, quando sono state inferte. Però è davvero senza senso.»

«Così sembrerebbe» disse pensoso Poirot. «A meno che l'assassino abbia creduto di non aver fatto bene il proprio lavoro e sia tornato ad accertarsene. Ma è chiaramente assurdo! Nient'altro?»

«Ancora una cosa.»

«Che cosa?»

«Vede questa ferita sotto il braccio destro, vicino alla spalla? Prenda questa matita. Riuscirebbe a vibrare un colpo del genere?»

Poirot alzò la mano.

«*Précisément*» disse. «Capisco. Con la mano *destra* sarebbe troppo difficile, quasi impossibile. Avrebbero dovuto colpire all'indietro. Ma se il colpo fosse stato inferto con la mano *sinistra*...»

«Proprio così, Monsieur Poirot. Quel colpo è stato quasi certamente vibrato con la mano sinistra.»

«Perciò il nostro assassino è mancino? No, non è così semplice, vero?»

«Infatti, Monsieur Poirot. Alcuni degli altri colpi sono stati altrettanto palesemente inferti dalla mano destra.»

«Due assassini. Eccoci di nuovo a due assassini» mormorò l'investigatore. «La luce era accesa?» chiese all'improvviso.

«È difficile a dirsi. Ogni mattina alle dieci il controllore la spegne.»

«Ce lo diranno gli interruttori» dichiarò Poirot.

Esaminò l'interruttore della lampada centrale e quello della lampadina orientabile accanto al letto. Entrambi indicavano che la luce era stata spenta.

«*Eh bien*» disse meditabondo. «Abbiamo qui un Primo e un Secondo Assassino, come direbbe il grande Shakespeare. Il Primo Assassino ha pugnalato la sua vittima ed è uscito dallo scompartimento, spegnendo la luce. Il Secondo Assassino è entrato al buio senza accorgersi che qualcuno lo aveva preceduto, e ha colpito almeno due volte un corpo morto. *Que pensez-vous de ça?*»

«Eccellente» disse il piccolo dottore con entusiasmo.

Gli occhi dell'altro scintillavano.

«Lo pensa davvero? Ne sono lieto. A me sembrava piuttosto sconclusionato.»

«Quale altra spiegazione potrebbe esserci?»

«È proprio quello che mi chiedevo. È una semplice coincidenza, o no? Ci sono altre contraddizioni che possano indicare la presenza di due assassini?»

«Credo di poter affermare di sì. Alcuni di questi colpi, come le ho già fatto notare, fanno pensare a una debolezza, a una mancanza di forza o di proposito. Sono colpi leggeri. Ma questo e questo...» Accennò di nuovo con la mano. «Per questi colpi ci è voluta una grande forza. Hanno trapassato il muscolo.»

«Secondo lei sono stati inferti da un uomo?»

«Senza dubbio.»

«Non avrebbero potuto essere inferti da una donna?»

«Una donna giovane, atletica e vigorosa avrebbe potuto vibrarli, soprattutto se fosse stata in preda a una forte emozione, ma a mio parere è assai improbabile.»

Poirot rimase in silenzio per qualche attimo.

«Capisce il mio punto di vista?» chiese l'altro, ansioso.

«Perfettamente» rispose Poirot. «La faccenda incomincia a farsi chiarissima. L'assassino era un uomo molto forte, era debole, era una donna, usava la destra, era mancino. *Ah! C'est rigolo, tout ça!*»

Parlava in preda a una collera improvvisa.

«E la vittima, che cosa fa nel frattempo? Grida? Si dibatte? Si difende?»

Infilò la mano sotto il cuscino e ne estrasse la piccola pistola automatica che Ratchett gli aveva mostrato il giorno prima.

«Carica, come vede» disse.

Si guardarono intorno. Gli abiti da giorno di Ratchett erano appesi al gancio sulla parete. Sul tavolino formato dal coperchio del catino c'erano diversi oggetti: una dentiera in un bicchiere; un altro bicchiere, vuoto; una bottiglia di acqua minerale, una caraffa e un posacenere con un mozzicone di sigaro e alcuni frammenti di carta carbonizzati; infine due fiammiferi spenti.

Il dottore sollevò il bicchiere vuoto e lo annusò con cura.

«Ecco qui la spiegazione dell'inerzia della vittima» disse pacato.

«Drogato?»

«Sì.»

Poirot annuì. Prese i due fiammiferi e li esaminò con attenzione.

«Ha trovato qualche indizio, allora?» chiese impaziente il piccolo dottore.

«Questi due fiammiferi sono di forma diversa» disse Poirot. «Uno è più piatto dell'altro. Vede?»

«È del tipo che si trova sui treni in bustine di cartone» spiegò il medico.

Poirot tastava le tasche degli abiti di Ratchett. Ne estrasse una scatola di fiammiferi. Li confrontò attentamente.

«Quello più rotondo è stato acceso dal signor Ratchett» disse. «Vediamo se ne aveva anche del tipo piatto.»

Tuttavia un'ulteriore ricerca non gli fece scoprire altri fiammiferi.

Lo sguardo di Poirot saettava per lo scompartimento. Era brillante e acuto come quello di un uccello. Si percepiva di non poter sfuggire al suo esame.

Si chinò con una piccola esclamazione e raccolse qualcosa dal pavimento.

Si trattava di un quadratino di batista, molto elegante. In un angolo era ricamata una iniziale: "H".

«Un fazzoletto da donna» disse il medico. «Il nostro amico capotreno aveva ragione. C'è una donna implicata in questa faccenda.»

«Ed è tanto cortese da lasciarsi dietro il fazzoletto!» disse Poirot. «Proprio come accade nei romanzi e nei film. E per renderci le cose ancora più facili, contrassegnato da un'iniziale.»

«Che colpo di fortuna per noi!» esclamò il dottore.

«Non è vero?» disse Poirot.

Qualcosa nel tono della sua voce stupì il medico. Ma prima che potesse chiedere spiegazioni, Poirot si era chinato di nuovo sul pavimento. Questa volta teneva sul palmo della mano un nettapipe.

«Forse appartiene al signor Ratchett?» suggerì il dottore.

«Non c'era nessuna pipa nelle sue tasche, e niente tabacco né borse per tabacco.»

«Allora è un indizio.»

«Oh! Senza dubbio. Ed è stato lasciato di nuovo molto cortesemente. Questa volta un indizio maschile, noti bene! Non ci si può lamentare di non avere indizi in questo caso. Qui ci sono indizi in abbondanza. Tra parentesi, cosa ne avete fatto dell'arma del delitto?»

«Non c'erano armi di nessun genere. L'assassino deve averla portata via con sé.»

«Mi chiedo perché» borbottò Poirot.

«Ah!» Il medico stava esaminando delicatamente le tasche del pigiama del morto. «Mi era sfuggito questo» disse. «L'ho sbottonata e l'ho aperta subito.»

Dal taschino della giacca estrasse un orologio d'oro. La cassa era ammaccata e le lancette segnavano l'una e un quarto.

«Vede?» gridò Constantine. «Segna l'ora del delitto! Si accorda con i miei calcoli. Fra mezzanotte e le due del mattino, avevo detto; e probabilmente intorno all'una, sebbene sia difficile essere precisi in queste cose. *Eh bien*, ecco qui la conferma. L'una e un quarto. È questa l'ora del delitto.»

«È possibile, sì. È senza dubbio possibile.»
Il medico lo guardò incuriosito.
«Voglia scusarmi, Monsieur Poirot, ma non la capisco.»
«Non capisco neanch'io» disse il piccolo belga. «Non capisco assolutamente nulla, e la cosa mi preoccupa.»
Sospirò e si chinò sul tavolino, esaminando i frammenti di carta carbonizzati. Mormorava tra sé.
«Ciò di cui ho bisogno in questo momento è una cappelliera da donna vecchio stile.»
Il dottor Constantine non sapeva come interpretare quell'osservazione singolare. Poirot, comunque, non gli lasciò il tempo di fare domande. Aprì la porta sul corridoio e chiamò il controllore.
L'uomo arrivò di corsa.
«Quante donne ci sono in questa carrozza?»
Il controllore contò sulle dita.
«Una, due, tre... sei, *monsieur*. La vecchia signora americana, una signora svedese, la giovane signora inglese, la contessa Andrenyi e Madame la Princesse Dragomiroff con la sua cameriera.»
Poirot rifletté.
«Hanno tutte una cappelliera, vero?»
«Sì, *monsieur*.»
«Allora mi porti... vediamo un po'... le cappelliere della signora svedese e della cameriera. Quelle due sono la nostra unica speranza. Dirà loro che si tratta di un controllo doganale, qualsiasi cosa le venga in mente.»
«Non ci saranno problemi, *monsieur*. Nessuna delle due signore è nel suo scompartimento in questo momento.»

«Allora faccia in fretta.»

Il controllore si allontanò. Ritornò con le due cappelliere. Poirot aprì quella della cameriera e la spinse da parte. Poi aprì quella della signora svedese e si lasciò sfuggire un'esclamazione compiaciuta. Togliendo con cura i cappelli, scoprì dei sostegni semisferici, fatti in reticella di fil di ferro.

«Ah, ecco quello che ci occorre. Circa quindici anni fa, le cappelliere erano fatte così. Si attaccavano i cappelli a questi sostegni in fil di ferro con uno spillone.»

Così dicendo, rimuoveva abilmente due sostegni. Rimise quindi i cappelli nella cappelliera e disse al controllore di riportarle entrambe dove le aveva trovate.

Quando la porta si richiuse, si rivolse al compagno.

«Vede, mio caro dottore, io non sono uno che si fida della solita procedura. Io cerco la psicologia, non le impronte digitali o la cenere delle sigarette. Ma in questo caso non direi di no a qualche aiuto scientifico. Questo scompartimento è pieno di indizi, ma come posso essere certo che questi indizi siano davvero quello che sembrano?»

«Non la capisco, Monsieur Poirot.»

«Ebbene, per farle un esempio, troviamo un fazzoletto da donna. Lo ha lasciato cadere una donna? O è stato un uomo, mentre commetteva il delitto, a dirsi: "Lo farò sembrare un delitto femminile. Pugnalerò più del necessario il mio nemico, vibrando alcuni colpi deboli e inefficaci, e lascerò cadere questo fazzoletto dove non possa sfuggire a nessuno." È una possibilità. Ma ce n'è un'altra. Lo ha ucciso una donna e ha lasciato deliberatamente un nettapipe per far credere che fosse stato un uomo? O intendiamo ipotizzare seriamente che due persone, un uomo e una donna, vi siano coinvolte separatamente, e che ognuna di loro sia stata tanto distratta da lasciare un indizio della propria identità? È un po' esagerata come coincidenza, questa!»

«Ma che cosa c'entra la cappelliera?» chiese il medico ancora perplesso.

«Ah! Adesso ci arrivo. Come dicevo, questi indizi, l'orologio fermato all'una e un quarto, il fazzoletto, il nettapipe, possono essere autentici, o falsi. Quanto a questo, non posso ancora dirlo. Ma c'è almeno *un* indizio che *non* ritengo falso, anche se di nuovo posso sbagliarmi. Alludo a questo fiammifero piatto, signor dottore. *Credo che il fiammifero sia stato usato dall'assassino, non da Monsieur Ratchett.* È stato usato per bruciare qualche foglio che avrebbe potuto incriminarlo. Forse un biglietto. Se è così, c'era qualcosa in quel biglietto, qualche sbaglio, qualche errore, che avrebbe potuto costituire un indizio sull'aggressore. Cercherò di scoprire di che cosa si trattava.»

Uscì dallo scompartimento e vi fece ritorno pochi minuti dopo con un fornelletto a spirito e un paio di ferri per ricci.

«Li uso per i baffi» spiegò.

Il medico lo guardava con grande interesse. Poirot appiattì i due sostegni di reticella di ferro e con grande cura appoggiò su uno di essi il frammento di carta carbonizzata. Vi pose sopra l'altro e, tenendo insieme i due pezzi con i ferri per ricci, tenne il tutto sopra la fiamma del fornelletto a spirito.

«È un mezzo molto di fortuna, questo» disse. «Auguriamoci che serva allo scopo.»

Il medico osservava attentamente il procedimento. Il metallo incominciò ad arroventarsi. All'improvviso, vide apparire alcune lettere sbiadite. Lentamente si formarono alcune parole, parole di fuoco.

Era un frammento molto sottile. Solo quattro parole erano visibili, e parte di una quinta.

... CORD LA PICCOLA DAISY ARMSTRONG.

«Ah!» Poirot lanciò una brusca esclamazione.

«Le dice qualcosa?» chiese il medico.

Gli occhi di Poirot scintillavano. Depose con cura i ferri per ricci.

«Sì» disse. «*Adesso conosco il vero nome del morto. So perché ha dovuto lasciare l'America.*»

«Come si chiamava?»

«Cassetti.»

«Cassetti.» Constantine corrugò la fronte. «Mi ricorda qualcosa... qualche anno fa, ma non so esattamente... È successo in America, vero?»

«Sì» disse Poirot. «È successo in America.»

Non era disposto a sbottonarsi più di tanto. Si guardò intorno e aggiunse: «Ce ne occuperemo subito. Prima, assicuriamoci di aver visto tutto quello che c'è da vedere.»

Con rapidità e destrezza perquisì ulteriormente le tasche del morto, ma non vi trovò nulla di interessante. Tentò di aprire la porta di comunicazione con lo scompartimento adiacente, ma era chiusa dall'altra parte.

«C'è una cosa che non capisco» disse il dottor Constantine. «Se l'assassino non è fuggito dal finestrino, e se questa porta di comunicazione era chiusa dall'altra parte, e se la porta che dà sul corridoio era non solo chiusa dall'interno, ma anche fermata con la catena, come ha fatto l'assassino a lasciare lo scompartimento?»

«È quello che dice il pubblico quando scompare una persona legata mani e piedi e chiusa in una cassa.»

«Intende dire...?»

«Intendo dire» spiegò Poirot «che se l'assassino voleva farci credere di essere fuggito dal finestrino, naturalmente doveva far sembrare impossibile la fuga attraverso le altre due uscite. Come quello della persona scomparsa dalla cassa, è un trucco. Spetta a noi scoprire il suo trucco.»

Chiuse la porta di comunicazione dalla loro parte.

«Nell'eventualità» disse «che l'ottima signora Hubbard si mettesse in testa di ottenere particolari di prima mano del delitto da comunicare alla figlia.»

Si guardò di nuovo intorno.

«Credo che non ci sia più niente da fare qui. Raggiungiamo Monsieur Bouc.»

Capitolo ottavo

Il caso Armstrong

Trovarono Monsieur Bouc che stava finendo di mangiare una frittata.

«Ho pensato che fosse meglio far servire subito il pranzo nel vagone ristorante» disse. «Dopo potrà essere evacuato e Monsieur Poirot potrà procedere all'interrogatorio dei passeggeri. Nel frattempo ho ordinato di portarci qui qualcosa da mangiare.»

«Un'idea eccellente» disse Poirot.

Né lui né Constantine avevano appetito, e il pasto venne consumato in fretta, ma solo mentre sorseggiavano il caffè Bouc affrontò l'argomento che occupava i loro pensieri.

«*Eh bien?*» chiese.

«*Eh bien*, ho scoperto l'identità della vittima. So perché quell'uomo è stato costretto a lasciare l'America.»

«Chi era?»

«Ricorda di aver letto della piccola Armstrong? Quello era Cassetti, l'uomo che assassinò la piccola Daisy Armstrong.»

«Adesso ricordo. Una storia terribile, sebbene non ne rammenti i particolari.»

«Il colonnello Armstrong era inglese, decorato con la Victoria Cross. Era mezzo americano, perché sua madre era figlia di W.K. Van der Halt, il milionario di Wall Street. Armstrong aveva sposato la figlia di Linda Arden, la più famosa attrice tragica americana del suo tempo. Vivevano in America e avevano una bambina che idolatravano. A tre anni, la piccola fu rapita, e una somma incredibilmente alta venne chiesta come riscatto. Non vi annoierò con tutte le complicazioni che seguirono. Arriverò subito al momento in cui, dopo che la famiglia ebbe pagato l'enorme somma di duecentomila dollari, venne trovato il corpo della bambina, morta da almeno quindici giorni. L'indignazione del pubblico raggiunse il parossismo. Ma il peggio doveva ancora venire. La signora Armstrong aspettava un altro figlio. A causa del colpo ricevuto, diede alla luce prematuramente un bambino morto, e morì lei stessa. Il marito, distrutto dal dolore, si uccise.»

«*Mon Dieu*, che tragedia. Adesso ricordo» disse Monsieur Bouc. «E c'è stata anche un'altra morte, se non sbaglio.»

«Sì, una sventurata cameriera svizzera o francese. La polizia era convinta che sapesse qualcosa del delitto. Non volevano credere alle sue isteriche smentite. Alla fine, in preda alla disperazione, la povera ragazza si gettò da una finestra e morì. In seguito venne dimostrato che era innocente e non aveva niente a che vedere con il delitto. Circa sei mesi dopo, quest'uomo, Cassetti, fu arrestato come capo della banda che aveva rapito la bambina. Avevano usato lo stesso sistema in passato. Se la polizia era sulle loro tracce, uccidevano il prigioniero, nascondevano il corpo, e continuavano a esigere più denaro possibile prima che venisse scoperto il delitto.

«Che sia ben chiara una cosa, amico mio. Cassetti era il vero colpevole! Ma grazie all'enorme fortuna accumulata e all'influenza che esercitava su molte persone, fu assolto per qualche vizio di forma. Ciò nondimeno sarebbe stato linciato dalla folla se non fosse stato tanto abile da fuggire. Adesso mi rendo conto di quanto è accaduto. Ha cambiato nome e ha lasciato l'America. Da allora è diventato un gentiluomo agiato, che viaggiava all'estero e viveva di *rendita*.»

«Ah! *Quel animal!*» Il tono di Monsieur Bouc trasudava disgusto. «Non posso certo rammaricarmi che sia morto!»

«Ne convengo con lei.»

«*Tout de même*, non era necessario che venisse ucciso proprio sull'Orient Express. C'erano altri posti.»

Poirot sorrise. Si rendeva conto che Monsieur Bouc non vedeva le cose in modo imparziale.

«La domanda che dobbiamo porci adesso» disse «è se questo assassinio sia opera di qualche banda rivale che Cassetti aveva raggirato in passato, o un atto di vendetta privata.»

Riferì la sua scoperta delle poche parole sul frammento di carta carbonizzato.

«Se la mia supposizione è esatta, la lettera è stata

bruciata dall'assassino. Perché? Perché c'era la parola "Armstrong" che è la chiave del mistero.»

«Ci sono ancora alcuni membri viventi della famiglia Armstrong?»

«Questo, sfortunatamente, non lo so. Mi sembra di ricordare di aver letto di una sorella minore della signora Armstrong.»

Poirot proseguì, riferendo le conclusioni alle quali lui e il dottor Constantine erano giunti. Monsieur Bouc si illuminò quando sentì parlare dell'orologio rotto.

«Sembra rivelarci con estrema esattezza l'ora del delitto.»

«Sì» disse Poirot. «Cade davvero a proposito.»

Nel suo tono c'era qualcosa di indefinibile che indusse gli altri due a fissarlo incuriositi.

«Lei ha detto di avere udito con le sue orecchie Ratchett parlare al controllore all'una meno venti?»

Poirot riferì esattamente quanto era accaduto.

«Be',» disse Monsieur Bouc «questo dimostra almeno che quel Cassetti, o Ratchett, come continuerò a chiamarlo, era senza alcun dubbio vivo all'una meno venti.»

«Meno ventitré, per essere esatti.»

«Allora, alle dodici e trentasette, Monsieur Ratchett era vivo. Questo, almeno, è *un* fatto.»

Poirot non rispose. Sedeva guardando con aria pensosa davanti a sé.

Si sentì bussare alla porta, ed entrò il cameriere del ristorante.

«Il vagone ristorante è libero, *monsieur*» disse.

«Ci trasferiamo là» dichiarò Monsieur Bouc, alzandosi.

«Posso venire con voi?» chiese Constantine.

«Ma certo, caro dottore. A meno che Monsieur Poirot abbia qualcosa in contrario.»

«Niente affatto. Niente affatto» rispose Poirot.

Dopo un piccolo scambio di cortesie del tipo "*Après vous, monsieur*", "*Mais non, après vous*", uscirono dallo scompartimento.

Parte seconda

Le deposizioni

CAPITOLO PRIMO

LA DEPOSIZIONE DEL CONTROLLORE DEL VAGONE LETTO

Il vagone ristorante era pronto.

Poirot e Monsieur Bouc sedevano l'uno di fianco all'altro, sullo stesso lato di un tavolo. Il medico era seduto dall'altra parte del corridoio.

Sul tavolo davanti a Poirot c'era una pianta della carrozza Istanbul-Calais con i nomi dei passeggeri sottolineati in rosso. Da una parte, la pila dei passaporti e dei biglietti. Carta per gli appunti, penna, inchiostro e matite.

«Perfetto» disse Poirot. «Possiamo aprire la nostra indagine senza ulteriori indugi. Prima di tutto, credo che dovremmo ascoltare la deposizione del controllore del vagone letto. Probabilmente saprà qualcosa di lui. Che tipo è? È un uomo della cui parola ci si può fidare?»

«Direi di sì, senza dubbio. Pierre Michel lavora per la Compagnia da più di quindici anni. È francese, abita vicino a Calais. Assolutamente onesto e rispettabile. Forse non brilla per eccessivo ingegno.»

Poirot annuì.
«Bene» disse. «Sentiamolo.»
Pierre Michel aveva riacquistato un po' della sua sicurezza, ma era ancora molto nervoso.
«Mi auguro che *monsieur* non pensi che da parte mia ci sia stata qualche negligenza» disse nervosamente mentre il suo sguardo si spostava da Poirot a Monsieur Bouc. «È una cosa terribile quella che è accaduta. Mi auguro che *monsieur* non pensi che possa ripercuotersi in qualche modo su di me.»
Dopo aver placato i timori dell'uomo, Poirot incominciò a interrogarlo. Volle sapere anzitutto il nome e l'indirizzo di Michel, da quanto tempo era in servizio, e da quanto tempo su quella linea. Erano particolari che conosceva già, ma queste domande servivano a mettere il controllore a proprio agio.
«E adesso» proseguì Poirot «veniamo agli avvenimenti di ieri sera. Monsieur Ratchett si è ritirato presto. Quando?»
«Quasi subito dopo cena, *monsieur*. Prima che partissimo da Belgrado. E aveva fatto lo stesso la sera prima. Mi aveva detto di preparargli il letto mentre era a cena, e così avevo fatto.»
«In seguito è entrato qualcuno nel suo scompartimento?»
«Il suo cameriere, *monsieur*, e quel giovane americano, il segretario.»
«Nessun altro?»
«No, *monsieur*, non che io sappia.»
«Bene. Ed è stata l'ultima volta che lo ha visto o sentito?»

«No, *monsieur*. Dimentica che ha suonato il campanello all'una meno venti circa, poco dopo che ci eravamo fermati.»

«Che cosa è accaduto esattamente?»

«Ho bussato alla porta, ma lui mi ha detto che si era sbagliato.»

«In inglese o in francese?»

«In francese.»

«Quali sono state le sue parole esatte?»

«*Ce n'est rien. Je me suis trompé.*»

«Benissimo» disse Poirot. «Era quello che volevo sapere. Poi se ne è andato?»

«Sì, *monsieur*.»

«È tornato al suo posto?»

«No, *monsieur*, prima sono andato a rispondere a un altro campanello che era appena suonato.»

«Adesso le farò una domanda importante, Michel. Dove si trovava all'una e un quarto?»

«Io, *monsieur*? Ero seduto al mio posto in fondo al vagone, di fronte al corridoio.»

«Ne è certo?»

«*Mais oui*, almeno...»

«Sì?»

«Sono entrato nella carrozza successiva, quella di Atene, per parlare con il mio collega. Abbiamo parlato della neve. È stato poco dopo l'una, non saprei proprio dire l'ora esatta.»

«E quando è tornato?»

«È suonato uno dei campanelli, *monsieur*, ricordo di averlo già detto. Era la signora americana. Aveva suonato più volte.»

«Ricordo» disse Poirot. «E poi?»
«E poi, *monsieur*? Ho risposto alla sua chiamata e le ho portato dell'acqua minerale. Circa un quarto d'ora dopo, ho preparato il letto in un altro scompartimento, quello del giovane americano, il segretario di Monsieur Ratchett.»
«Monsieur MacQueen era solo nel suo scompartimento quando lei è andato a preparargli il letto?»
«C'era con lui il colonnello inglese del numero 15. Si erano intrattenuti a parlare.»
«Che cosa ha fatto il colonnello dopo aver lasciato Monsieur MacQueen?»
«È tornato nel suo scompartimento.»
«Il numero 15… è molto vicino al suo posto, vero?»
«Sì, *monsieur*, è il secondo scompartimento dalla fine del corridoio.»
«Il suo letto era già preparato?»
«Sì, *monsieur*. Lo avevo preparato mentre era a cena.»
«A che ora è accaduto tutto questo?»
«Non saprei dirlo con certezza, *monsieur*. Senza dubbio non più tardi delle due.»
«E in seguito?»
«In seguito sono rimasto seduto fino al mattino, *monsieur*.»
«Non è ritornato nella carrozza di Atene?»
«No, *monsieur*.»
«Forse ha dormito?»
«Non credo, *monsieur*. Il treno era fermo e questo mi impediva di sonnecchiare come faccio di solito.»
«Ha visto qualche viaggiatore passare nel corridoio?»
L'uomo rifletté un momento.

«Una delle signore è andata alla toilette in fondo al corridoio, credo.»

«Quale signora?»

«Non lo so, *monsieur*. Era all'altra estremità del corridoio e mi voltava le spalle. Indossava un kimono scarlatto con dei draghi ricamati.»

Poirot annuì.

«E poi?»

«Niente, *monsieur*, fino al mattino.»

«Ne è certo?»

«Ah, scusi, *monsieur*, lei ha aperto la porta e guardato fuori per un attimo.»

«Bene, amico mio» disse Poirot. «Mi chiedevo se lo avrebbe ricordato. Fra parentesi, ero stato svegliato da qualcosa di pesante che sembrava essere caduto contro la mia porta. Ha idea di che cosa potesse trattarsi?»

L'uomo lo fissò stupito.

«Non c'è stato nulla, *monsieur*. Nulla, ne sono certo.»

«In tal caso deve essere stato un *cauchemar*» disse filosoficamente Poirot.

«A meno che» intervenne Monsieur Bouc «non abbia udito qualcosa nello scompartimento accanto al suo.»

Poirot non prese in considerazione quell'ipotesi. Forse non voleva farlo davanti al controllore del vagone letto.

«Passiamo a un altro punto» disse. «Se ieri sera un assassino fosse salito sul treno, è assolutamente certo che non avrebbe potuto scenderne dopo aver commesso il delitto?»

Pierre Michel scosse il capo.

«Né che possa essere nascosto da qualche parte sul treno?»

«È stato perquisito con cura» dichiarò Monsieur Bouc. «Rinunci a questa idea, amico mio.»

«Inoltre» disse Michel «nessuno potrebbe salire sul vagone letto senza che io lo vedessi.»

«Quando è stata l'ultima fermata?»

«A Vinkovci.»

«A che ora?»

«Saremmo dovuti ripartire da là alle 11.58. Ma a causa del maltempo eravamo in ritardo di venti minuti.»

«Qualcuno sarebbe potuto entrare da un'altra parte del treno?»

«No, *monsieur*. Dopo cena, la porta di comunicazione fra le carrozze ordinarie e i vagoni letto viene chiusa.»

«E lei è sceso dal treno a Vinkovci?»

«Sì, *monsieur*. Sono sceso sul marciapiede come al solito, fermandomi accanto al predellino. E lo stesso hanno fatto gli altri controllori.»

«E la porta davanti, quella accanto al vagone ristorante?»

«È sempre chiusa dall'interno.»

«Adesso non è chiusa.»

L'uomo sembrò stupito, poi il suo volto si rischiarò.

«Senza dubbio uno dei passeggeri l'ha aperta per guardare la neve.»

«Probabilmente» disse Poirot. Tamburellò sul tavolo per qualche minuto.

«*Monsieur* non ha nessun rimprovero da farmi?» chiese timidamente Michel.

Poirot gli sorrise con benevolenza.

«È stato sfortunato, amico mio» disse. «Ah, le ricorderò un altro particolare. Lei ha affermato che, mentre bussava alla porta di Monsieur Ratchett, è suonato un altro campanello. L'ho udito anch'io. Di chi era?»

«Era quello di Madame la Princesse Dragomiroff. Voleva che chiamassi la sua cameriera.»

«E lo ha fatto?»

«Sì, *monsieur.*»

Poirot esaminò pensoso la pianta davanti a sé, poi piegò il capo su una spalla.

«È tutto per il momento» disse.

«Grazie, *monsieur.*»

L'uomo si alzò e guardò Monsieur Bouc.

«Non si preoccupi» disse quest'ultimo. «Non mi sembra che ci sia stata alcuna negligenza da parte sua.»

Soddisfatto, Pierre Michel uscì dallo scompartimento.

CAPITOLO SECONDO

LA DEPOSIZIONE DEL SEGRETARIO

Poirot rimase per qualche attimo immerso nei suoi pensieri.

«Credo che, alla luce di quanto sappiamo adesso, sarebbe bene parlare di nuovo con Monsieur MacQueen» disse finalmente.

Il giovane americano comparve senza indugio.

«Allora,» disse «come vanno le cose?»

«Direi bene. Dopo la nostra ultima conversazione, ho appreso l'identità di Monsieur Ratchett.»

Hector MacQueen si sporse verso Poirot, incuriosito.

«Sì?»

«Come lei sospettava, Ratchett era uno pseudonimo. Il suo datore di lavoro era Cassetti, l'uomo che aveva organizzato famigerati rapimenti, compreso quello della piccola Daisy Armstrong.»

Il volto di MacQueen assunse un'espressione di profondo stupore, poi si incupì.

«Quel maledetto bastardo!» esclamò.

«Non aveva alcun sospetto, Monsieur MacQueen?»

«No, signore» affermò senza incertezze il giovane americano. «Se lo avessi avuto mi sarei tagliato la mano destra prima di accettare di fargli da segretario!»

«Sembra che la cosa la tocchi molto da vicino, Monsieur MacQueen.»

«C'è un motivo particolare. Mio padre era il procuratore distrettuale che si è occupato del caso, Monsieur Poirot. Ho visto più di una volta la signora Armstrong, era una donna incantevole. Così dolce e disperata.» Il suo volto si fece ancora più cupo. «Se mai un uomo ha meritato la fine che ha fatto, questo è Ratchett, o Cassetti. Sono felice che sia morto. Un uomo come quello non è degno di vivere.»

«L'avrebbe ucciso volentieri con le sue mani?»

«È così. Io...» Si interruppe, e arrossì con espressione colpevole. «Sembra quasi che mi stia accusando.»

«Sarei più propenso a sospettare di lei, Monsieur MacQueen, se avesse manifestato un dolore inconsolabile per il decesso del suo datore di lavoro.»

«Non credo che ci riuscirei, neppure per salvarmi dalla sedia elettrica» disse MacQueen in tono sinistro, poi aggiunse: «Se non sono troppo curioso, come lo ha scoperto? L'identità di Cassetti, voglio dire.»

«Da un frammento di lettera trovato nel suo scompartimento.»

«Ma non è stato... voglio dire, non è stato un po' imprudente da parte del vecchio?»

«Dipende dai punti di vista» disse Poirot.

Il giovane sembrò perplesso a questa osservazione. Fissò l'investigatore come se non riuscisse a capire.

«Il mio compito» dichiarò Poirot «è accertarmi dei movimenti di chiunque si trovasse sul treno. Nessuno deve aversene a male, capisce? È solo una questione di procedura.»

«Senza dubbio. Tiri dritto per la sua strada e mi permetta di allontanare da me ogni sospetto, se ci riesco.»

«Non ho certo bisogno di chiederle il numero del suo scompartimento,» disse Poirot, sorridendo «dal momento che l'abbiamo condiviso per una notte. È lo scompartimento di seconda classe numero 6 e 7, e dopo che me ne sono andato lo ha avuto tutto per sé.»

«Esatto.»

«Adesso, Monsieur MacQueen, desidero che mi riferisca i suoi movimenti di ieri sera da quando ha lasciato il vagone ristorante.»

«È molto semplice. Sono tornato nel mio scompartimento, ho letto un po', sono sceso sul marciapiede a Belgrado, ho deciso che faceva troppo freddo, e sono risalito in treno. Ho conversato per un po' con una giovane signora inglese che occupa uno scompartimento poco lontano dal mio. Poi mi sono messo a chiacchierare con il colonnello Arbuthnot... fra l'altro mi sembra che lei ci abbia superato mentre parlavamo. Poi sono andato dal signor Ratchett e, come le ho detto, ho preso appunti per alcune lettere che lui voleva scrivessi. Gli ho augurato la buona notte e me ne sono andato. In corridoio c'era ancora il colonnello Arbuthnot. Il suo scompartimento era già stato preparato per la notte, perciò gli ho proposto di venire nel mio. Ho ordinato qualcosa da bere e ci siamo messi a parlare. Abbiamo parlato della politica mondiale, del governo dell'India e dei nostri problemi con la situazione finanziaria e la crisi di Wall Street. Di solito i britannici non mi vanno troppo a genio, hanno tutti la puzza sotto il naso, ma questo mi piaceva.»

«Sa che ora era quando se ne è andato?»

«Abbastanza tardi. Quasi le due, direi.»

«Avete notato che il treno era fermo?»

«Oh, sì. Ci siamo meravigliati un po'. Abbiamo guardato fuori e abbiamo visto la neve molto fitta, ma non abbiamo pensato che fosse una cosa seria.»

«Che cosa è accaduto quando il colonnello Arbuthnot le ha augurato la buona notte?»

«È andato nel suo scompartimento e io ho chiamato il controllore perché mi preparasse il letto.»

«Dov'era lei mentre lo preparava?»

«Davanti alla porta, nel corridoio, a fumare una sigaretta.»

«E poi?»

«Poi sono andato a letto e ho dormito fino al mattino.»

«Durante la serata non è mai sceso dal treno?»

«Arbuthnot e io avevamo pensato di scendere a... come si chiama?... Vinkovci per sgranchirci un po' le gambe. Ma faceva un freddo terribile, polare. Siamo saltati subito su di nuovo.»

«Da quale sportello siete scesi dal treno?»

«Da quello più vicino al nostro scompartimento.»

«Quello vicino al vagone ristorante?»

«Sì.»

«Si ricorda se era chiuso?»

MacQueen rifletté.

«Ma certo. Mi sembra proprio di ricordare che lo fosse. Almeno, c'era una specie di sbarra attraverso la maniglia. È questo che intende?»

«Sì. Risalendo in treno avete rimesso a posto la sbarra?»

«No, non credo. Sono entrato per ultimo. No, non ricordo di averlo fatto.» E all'improvviso aggiunse: «È importante?»

«Potrebbe esserlo. Ora, *monsieur*, immagino che mentre lei e il colonnello Arbuthnot eravate seduti a parlare la porta del suo scompartimento che dà sul corridoio fosse aperta.»

Hector MacQueen annuì.

«Se è possibile, voglio che mi dica se qualcuno è passato nel corridoio *dopo* che il treno è partito da Vinkovci, finché non vi siete separati per la notte.»

MacQueen aggrottò le sopracciglia.

«Credo che sia passato una volta il controllore proveniente dalla carrozza ristorante. E una donna in direzione opposta.»

«Quale donna?»

«Non saprei dirlo. Non l'ho notato, in realtà. Discutevo con Arbuthnot. Mi sembra di ricordare qualcosa di seta scarlatta. Non ho guardato, e comunque non avrei visto quella donna in faccia. Come ben sa, il mio scompartimento è molto vicino al vagone ristorante e una donna che percorresse il corridoio in quella direzione mi volterebbe le spalle non appena fosse passata.»

Poirot annuì.

«Andava alla toilette, immagino?»

«Penso di sì.»

«E l'ha vista tornare?»

«Be', no, adesso che me lo dice, non l'ho vista tornare, ma immagino che debba averlo fatto.»

«Ancora una domanda. Lei fuma la pipa, Monsieur MacQueen?»

«No, signore.»

Poirot fece una breve pausa.

«Credo sia tutto, per ora. Adesso vorrei vedere il cameriere di Monsieur Ratchett. Fra l'altro, voi due viaggiate sempre in seconda classe?»

«Masterman sì. Io di solito viaggiavo in prima, se possibile nello scompartimento adiacente a quello del signor Ratchett. Così faceva mettere la maggior parte del suo bagaglio nel mio scompartimento e poteva raggiungere facilmente sia quello sia me in qualsiasi momento. Ma in questo caso tutti gli scompartimenti di prima classe erano prenotati, tranne quello che ha preso lui.»

«Capisco. Grazie, Monsieur MacQueen.»

Capitolo terzo

La deposizione del cameriere

All'americano seguì il pallido inglese dal volto inespressivo che Poirot aveva già notato il giorno prima. Rimase in piedi ad aspettare in atteggiamento molto rispettoso. Poirot gli accennò di sedersi.

«A quanto ho capito, lei è il cameriere di Monsieur Ratchett?»

«Sì, signore.»

«Il suo nome?»

«Edward Henry Masterman.»

«Età?»

«Trentanove anni.»

«E il suo indirizzo privato?»

«Friar Street 21, Clerkenwell.»

«Ha saputo che il suo padrone è stato assassinato?»

«Sì, signore. Un fatto davvero sconvolgente.»

«Vorrebbe dirmi adesso, per piacere, a che ora ha visto per l'ultima volta Monsieur Ratchett?»

Il cameriere rifletté.

«Devono essere state circa le nove di ieri sera, signore. O poco dopo.»

«Mi dica con le sue parole che cos'è accaduto esattamente.»

«Sono andato come al solito dal signor Ratchett e mi sono occupato di lui, signore.»

«Quali erano i suoi compiti precisi?»

«Ripiegare o appendere i suoi vestiti, signore. Mettere la sua dentiera nell'acqua e assicurarmi che avesse tutto ciò di cui aveva bisogno per la notte.»

«Non ha notato nulla di inconsueto nei suoi modi?»

Il cameriere rifletté un attimo.

«Be', signore, mi è sembrato sconvolto.»

«In che senso sconvolto?»

«Per una lettera che stava leggendo. Mi ha chiesto se fossi stato io a metterla nel suo scompartimento. Gli ho detto naturalmente di non averlo fatto, ma lui ha imprecato e ha trovato da ridire su tutto quello che facevo.»

«E questo era inconsueto?»

«Oh no, signore, andava facilmente in collera. Si trattava solo, come dico sempre, di sapere per quale motivo.»

«Il suo padrone prendeva qualcosa per dormire?»

Il dottor Constantine si piegò un po' in avanti.

«Sempre quando viaggiava in treno, signore. Diceva che altrimenti non sarebbe riuscito a dormire.»

«E sa che cosa era solito prendere?»

«Non potrei dirlo, no davvero, signore. Non c'era nessun nome sul flacone. Solo: "Il sonnifero va preso prima di coricarsi".»

«E ieri sera lui lo ha preso?»

«Sì, signore. Gliel'ho versato in un bicchiere e gliel'ho messo sul tavolo da toilette a portata di mano.»

«Ma non lo ha visto berlo?»

«No, signore.»

«Che cosa è accaduto in seguito?»

«Ho chiesto se gli occorreva qualcos'altro, e a che ora voleva essere svegliato la mattina dopo. Ha detto che non voleva essere disturbato finché non avesse suonato.»

«E questo era normale?»

«Normalissimo, signore. Suonava il campanello per il controllore e lo mandava a chiamarmi quando voleva alzarsi.»

«Era solito alzarsi presto o tardi?»

«Dipendeva dall'umore, signore. A volte si alzava per colazione, a volte rimaneva a letto fino all'ora di pranzo.»

«Così non si è preoccupato quando ha visto che le ore passavano senza che la chiamasse?»

«No, signore.»

«Sapeva che il suo padrone aveva dei nemici?»

«Sì, signore.»

L'uomo aveva parlato senza alcuna traccia di emozione.

«Come lo sapeva?»

«Lo avevo sentito discutere di alcune lettere con MacQueen, signore.»

«Era affezionato al suo datore di lavoro, Masterman?»

Il volto dell'uomo si fece se possibile ancora più inespressivo del solito.

«Non trovo adeguata l'espressione, signore. Era un datore di lavoro generoso.»

«Ma non le piaceva?»

«Diciamo che gli americani non mi piacciono molto, signore.»

«È mai stato in America?»

«No, signore.»

«Ricorda di aver letto nei giornali del rapimento Armstrong?»

Le guance dell'uomo si colorirono in maniera quasi impercettibile.

«Sì, certo, signore. Una bambina, non è vero? Una faccenda scioccante.»

«Sapeva che il suo datore di lavoro, Monsieur Ratchett, era il principale responsabile del rapimento?»

«No davvero, signore.» Per la prima volta nel tono di voce del cameriere si avvertivano senza possibilità di dubbio calore ed emozione. «Non posso crederci, signore.»

«Tuttavia, è vero. E adesso, passiamo ai suoi movimenti di ieri sera... è la procedura, lei capisce. Che cosa ha fatto dopo aver lasciato il suo padrone?»

«Ho detto al signor MacQueen che il padrone aveva bisogno di lui, signore. Poi sono andato nel mio scompartimento a leggere.»

«Il suo scompartimento era...?»

«L'ultimo della seconda classe, signore. Vicino al vagone ristorante.»

Poirot esaminava la pianta.

«Vedo. E quale cuccetta aveva?»

«Quella inferiore, signore.»

«Cioè il numero 4?»

«Sì, signore.»

«C'è qualcuno con lei?»
«Sì, signore. Un italiano grande e grosso.»
«Parla inglese?»
«Be', una specie di inglese, signore.» Il tono del cameriere era di palese riprovazione. «È stato in America, a Chicago, a quanto ho capito.»
«Parlate molto voi due?»
«No, signore. Preferisco leggere.»
Poirot sorrise. Gli sembrava di vedere la scena: il grosso italiano chiacchierone, e la secca mortificazione impartitagli dal cameriere inglese.
«E che cosa legge, se posso chiederlo?» s'informò.
«Al momento leggo *Prigioniera d'amore*, della signora Arabella Richardson.»
«Un buon romanzo?»
«Lo trovo altamente godibile, signore.»
«Bene, proseguiamo. È tornato nel suo scompartimento a leggere *Prigioniera d'amore* fino a... quando?»
«Alle dieci e mezzo circa, l'italiano è voluto andare a letto, signore. Perciò il controllore è venuto a preparare le cuccette.»
«E lei è andato a dormire?»
«Sono andato a letto, signore, ma non ho dormito.»
«Perché?»
«Avevo mal di denti, signore.»
«Oh, *là là*... è doloroso.»
«Molto doloroso, signore.»
«Ha fatto qualcosa per farselo passare?»
«Ho applicato dell'olio di chiodo di garofano, signore, che mi ha calmato il dolore, ma non riuscivo ancora a addormentarmi. Allora ho acceso la luce sopra il

mio letto e ho continuato a leggere, per non pensare al mal di denti.»

«E non ha dormito affatto?»

«Sì, signore. Mi sono addormentato verso le quattro del mattino.»

«E il suo compagno?»

«L'italiano? Oh, lui russava.»

«Non si è mai allontanato dallo scompartimento durante la notte?»

«No, signore.»

«E lei?»

«No, signore.»

«E ha sentito nulla?»

«Non mi sembra, signore. Niente di insolito, cioè. Il treno fermo faceva sembrare tutto molto silenzioso.»

Poirot tacque per qualche attimo prima di dire: «Bene, credo che non ci sia molto da aggiungere. Non è in grado di gettare qualche lume sulla tragedia?»

«Temo di no. Mi dispiace, signore.»

«Per quanto ne sappia, c'era qualche ostilità fra il suo padrone e Monsieur MacQueen?»

«Oh, no. Il signor MacQueen è un signore molto simpatico.»

«Dove è stato a servizio prima di essere assunto dal signor Ratchett?»

«Da Sir Henry Tomlinson, in Grosvenor Square, signore.»

«Perché lo ha lasciato?»

«Andava in Africa orientale e non aveva più bisogno di me, signore. Ma sono certo che metterà una buona parola per me, signore. Sono stato con lui per alcuni anni.»

«E con il signor Ratchett… da quanto?»

«Solo da nove mesi, signore.»

«Grazie, Masterman. Fra parentesi, lei fuma la pipa?»

«No, signore. Solo sigarette.»

«Grazie. Basta così.»

Poirot gli fece un cenno di congedo con il capo. Il cameriere esitò un istante.

«Voglia scusarmi, signore, ma la signora americana è in quello che potrei definire uno stato terribile. Dice di sapere tutto sull'assassino. È in uno stato di grande eccitazione, signore.»

«In tal caso» disse Poirot sorridendo «faremo meglio a sentirla subito.»

«Posso dirglielo, signore? Da un pezzo chiede di parlare con qualche persona autorevole. Il controllore cerca di tranquillizzarla.»

«La mandi qui, amico mio» disse Poirot. «Ascolteremo subito la sua storia.»

Capitolo quarto

La deposizione della signora americana

Quando arrivò nel vagone ristorante, la signora Hubbard era così senza fiato per l'eccitazione da riuscire a stento a emettere suoni articolati.

«Ditemi solo questo. Chi comanda qui? Ho alcune informazioni importantissime, *importantissime* davvero, e voglio darle solo a qualcuno che conti. Se voi signori...»

Il suo sguardo si spostò dall'uno all'altro dei tre uomini. Poirot si chinò in avanti.

«Dica a me, *madame*» disse. «Ma prima, la prego, si sieda.»

La signora Hubbard si lasciò cadere pesantemente sul sedile di fronte all'investigatore.

«Quello che devo dirle è questo. C'era un assassino sul treno, ieri sera, *ed era proprio nel mio scompartimento.*»

Fece una pausa teatrale per dare maggiore enfasi alle sue parole.

«Ne è sicura, *madame*?»

«Certo! Che idea! So di che cosa parlo. Le dirò proprio tutto quello che c'è da dire. Ero andata a letto e mi ero addormentata, e all'improvviso mi sono svegliata: era tutto buio, e ho sentito che c'era un uomo nel mio scompartimento. Avevo troppa paura per gridare, se sa cosa intendo. Sono rimasta immobile e ho pensato: "Misericordia, mi ammazzerà." Non so davvero dirle quello che ho provato. Questi treni disgustosi, e tutte le cose scandalose di cui avevo letto. E ho pensato: "Be', comunque non avrà i miei gioielli" perché li metto in una calza e li nascondo sotto il cuscino, sa... il che non è poi tanto comodo, fra l'altro, un po' bitorzoluto, se capisce cosa voglio dire. Ma non importa. A che punto ero arrivata?»

«Si è resa conto che c'era un uomo nel suo scompartimento, *madame*.»

«Già. Allora, me ne stavo distesa con gli occhi chiusi, pensavo che cosa potessi fare, e mi dicevo: "Bene, ringrazio il cielo che mia figlia non sa in che guaio mi trovo." Poi, non so come, mi sono ripresa e a tentoni ho trovato il campanello per chiamare il controllore. Ho suonato e suonato, ma non è accaduto nulla, e posso assicurarle di aver pensato che il mio cuore si stesse per fermare. "Misericordia," mi sono detta "forse hanno assassinato tutti quelli che si trovavano sul treno." Comunque il treno era fermo, e c'era un silenzio tremendo. Ma io continuavo a suonare il campanello, e che sollievo quando ho sentito qualcuno venire di corsa lungo il corridoio e bussare alla porta. "Avanti" ho gridato, e nello stesso tempo ho acceso la luce. E non ci crederà, ma non c'era anima viva.»

La signora Hubbard sembrava non vedere assolutamente niente di deludente in questa circostanza, ma considerarla anzi come il punto culminante del dramma.

«E poi che cosa è accaduto, *madame*?»

«Dunque, ho riferito all'uomo quello che era successo, e lui sembrava non credermi. Sembrava pensare che avessi sognato. Gli ho fatto guardare sotto il sedile, sebbene lui affermasse che non c'era posto per un uomo, là sotto. Era anche troppo chiaro che l'uomo era fuggito, ma un uomo *c'era stato*, e il tentativo del controllore di calmarmi mi faceva andare su tutte le furie! Non sono il tipo che si immagina le cose, *monsieur*... credo di non conoscere il suo nome?»

«Poirot, *madame*. Le presento Monsieur Bouc, un direttore della Compagnia, e il dottor Constantine.»

La signora Hubbard mormorò: «Felice di conoscervi» a tutti e tre con fare distratto, per rituffarsi subito nel suo racconto. «Non è che pretenda di essere stata in gamba come avrei potuto. Mi ero messa in testa che fosse quello dello scompartimento accanto, quel poveraccio che è stato ucciso. Ho detto al controllore di guardare la porta di comunicazione ed è certo che non era chiusa. Be', non ci ho pensato due volte. Gli ho detto di chiuderla immediatamente, e quando se n'è andato mi sono alzata e ci ho messo contro una valigia per maggior sicurezza.»

«Che ora era, signora Hubbard?»

«Non posso proprio dirglielo. Non mi è venuto neanche in mente di guardare l'orologio, ero così sconvolta.»

«E adesso qual è la sua teoria?»

«Be', mi sembra chiaro come la luce del sole. L'uomo

che si trovava nel mio scompartimento era l'assassino. Chi altri poteva essere?»

«E pensa che sia tornato nello scompartimento vicino?»

«Come posso sapere dov'è tornato? Tenevo gli occhi ben chiusi.»

«Deve essere sgusciato dalla porta sul corridoio.»

«Questo non potrei dirlo. Avevo gli occhi serrati, capisce.» La signora Hubbard sospirò convulsamente. «Misericordia, ero terrorizzata! Se mia figlia lo sapesse...»

«Non pensa che quanto ha udito possa essere stato il rumore di qualcuno che si muoveva nello scompartimento accanto, *madame*? Nello scompartimento dell'uomo assassinato?»

«No, non lo penso, signor... com'è? Già, Poirot. L'uomo *era proprio là, nel mio scompartimento*. E per di più ne ho le prove.»

Esibì trionfante una grossa borsa e incominciò a frugarvi dentro. Ne estrasse, nell'ordine, due grandi fazzoletti puliti, un paio di occhiali con la montatura di corno, una bottiglia di aspirina, un pacchetto di sali inglesi, un tubo di celluloide contenente mentine verde brillante, un mazzo di chiavi, un paio di forbici, un libretto di assegni dell'American Express, l'istantanea di un bambino notevolmente brutto, alçune lettere, cinque fili di perle pseudo-orientali e un piccolo oggetto di metallo: un bottone.

«Vede questo? Be', non è uno dei *miei* bottoni. Non si è staccato da nessuno dei miei vestiti. L'ho trovato stamattina quando mi sono alzata.»

Mentre la signora lo deponeva sul tavolo, Monsieur Bouc si chinò in avanti e lanciò un'esclamazione.

«Ma questo è un bottone della divisa di un controllore dei vagoni letto!»

«Può esserci una spiegazione molto semplice per questo» disse Poirot. Si rivolse in tono gentile alla signora. «Questo bottone potrebbe essere caduto dall'uniforme del controllore mentre perquisiva la sua cabina, o mentre le preparava il letto ieri sera, signora.»

«Non capisco proprio che cosa abbiate tutti. Sembra non sappiate fare altro che sollevare obiezioni. Sentitemi bene. Ieri sera leggevo una rivista prima di addormentarmi. Prima di spegnere la luce ho messo quella rivista su una valigetta che stava sul pavimento accanto alla finestra. Ci siete?»

Le assicurarono di sì.

«Benissimo, allora. Il controllore ha guardato sotto il sedile dalla porta, poi è entrato e ha chiuso la porta di comunicazione con lo scompartimento accanto, ma non si è mai avvicinato alla finestra. Be', stamattina quel bottone era proprio sopra la rivista. Che cosa è per voi un fatto del genere, vorrei sapere?»

«Per me è una prova, signora» disse Poirot. La sua risposta sembrò placare la donna.

«Mi fa saltare la mosca al naso non essere creduta» spiegò.

«Ci ha offerto una prova quanto mai seria e interessante» assicurò Poirot. «Posso rivolgerle alcune domande?»

«Ma certo, volentieri.»

«Come mai, dal momento che aveva paura di quel

tipo, Ratchett, non aveva già chiuso la porta di comunicazione con il suo scompartimento?»

«L'avevo chiusa» replicò prontamente la signora Hubbard.

«Oh, davvero?»

«Be', in realtà ho chiesto a quella svedese, una persona gentile, se fosse chiusa, e lei mi ha detto di sì.»

«Come mai non poteva vederlo da sola?»

«Perché ero a letto e sulla maniglia era appeso il mio beauty-case.»

«Che ora era quando le ha chiesto di guardare?»

«Mi faccia pensare. Dovevano essere più o meno le dieci e mezzo o le undici meno un quarto. La svedese era venuta a vedere se avessi un'aspirina. Le ho detto dove trovarla, e lei l'ha tirata fuori dalla mia valigetta.»

«E lei era a letto?»

«Sì.» La Hubbard rise all'improvviso. «Povera donna, era tutta agitata. Vede, aveva aperto per sbaglio la porta dell'altro scompartimento.»

«Quello del signor Ratchett?»

«Sì. Sa quanto è difficile quando si percorre il corridoio e tutte le porte sono chiuse. Ha aperto la sua per errore. Era proprio sconvolta. A quanto pare lui aveva riso... immagino che le abbia detto qualcosa di non proprio simpatico. Poveretta, era davvero imbarazzata. "Oh! Io mi sbagliata" diceva. "Io mi vergogno che mi sbagliata. Quell'uomo non simpatico. Mi ha detto: tu troppo vecchia".»

Il dottor Constantine sghignazzò sotto i baffi e la signora Hubbard lo fulminò con uno sguardo.

«Non era un uomo simpatico» disse. «Non si parla così a una signora. Non è giusto ridere di queste cose.»

Il dottor Constantine si affrettò a scusarsi.

«In seguito ha sentito qualche rumore provenire dallo scompartimento del signor Ratchett?» chiese Poirot.

«Be', non proprio.»

«Che cosa intende dire, *madame*?»

«Insomma...» Si interruppe. «Russava.»

«Ah! Russava, vero?»

«Terribilmente. La notte prima mi aveva tenuto sempre sveglia.»

«Non lo ha sentito russare dopo lo spavento che si è presa per quell'uomo nello scompartimento?»

«Via, signor Poirot, come avrei potuto? Era morto.»

«Ah, già, è vero» disse Poirot. Sembrava confuso. «Ricorda la storia del rapimento Armstrong, signora Hubbard?» chiese.

«Certo che la ricordo. E come quel disgraziato del colpevole se la sia cavata! Dio, mi sarebbe piaciuto mettergli le mani addosso.»

«Non se l'è cavata. È morto. È morto ieri sera.»

«Non vorrà dire...?» La signora Hubbard quasi balzò dalla sedia per l'emozione.

«Proprio così. Quell'uomo era Ratchett.»

«*Oh be'!* Ma pensa un po'! Devo scriverlo a mia figlia. Non le ho detto proprio ieri sera che quell'uomo aveva una brutta faccia? Come vede avevo ragione. Mia figlia dice sempre: "Quando mamma ha un presentimento, puoi scommettere fino all'ultimo dollaro che non si sbaglia".»

«Conosceva qualcuno della famiglia Armstrong, signora Hubbard?»

«No. Appartenevano a un ambiente molto esclusivo.

Ma ho sempre sentito dire che la signora Armstrong era una donna incantevole e che il marito la adorava.»

«Lei ci ha aiutato molto, signora Hubbard, davvero molto. Potrebbe darmi il suo nome completo?»

«Ma certo. Caroline Martha Hubbard.»

«Vorrebbe scrivere qui il suo indirizzo?»

La signora Hubbard eseguì senza mai smettere di parlare.

«Non riesco a capacitarmene. Cassetti... su questo treno. Avevo un presentimento su quell'uomo, non è vero, signor Poirot?»

«Sì, signora. Fra parentesi, lei ha una vestaglia di seta scarlatta?»

«Misericordia, che strana domanda! No di certo. Ho due vestaglie: una di flanella rosa, comoda, per viaggiare per nave, e una che mi ha regalato mia figlia, esotica, di seta viola. Ma perché mai le interessano tanto le mie vestaglie?»

«Vede, signora, una donna in kimono scarlatto è entrata nel suo scompartimento, o in quello del signor Ratchett, ieri sera. Come lei stessa ha detto, è molto difficile distinguere gli scompartimenti quando tutte le porte sono chiuse.»

«Be', nessuno è venuto nel mio scompartimento con una vestaglia scarlatta.»

«Allora deve essere entrata in quello del signor Ratchett.»

La signora Hubbard strinse le labbra e disse in tono sinistro: «Non mi stupirebbe affatto.»

Poirot si chinò in avanti. «Quindi ha sentito una voce femminile nello scompartimento accanto al suo?»

«Non so come lo abbia indovinato, signor Poirot. Non lo so davvero. Ma... be', *si dà il caso di sì.*»

«Ma quando le ho chiesto, un momento fa, se avesse sentito nulla nello scompartimento accanto, ha detto di aver solo sentito russare il signor Ratchett.»

«Questo è abbastanza vero. In effetti *ha russato* per gran parte del tempo. Quanto all'altra...» Il volto della signora Hubbard si fece notevolmente più rosa. «Non è molto simpatico parlarne.»

«Che ora era quando ha udito una voce di donna?»

«Non saprei dirlo. Mi sono svegliata per un attimo e ho sentito una donna che parlava, e non c'erano dubbi su dove si trovasse. Perciò mi sono detta: "Be', ecco che uomo è. E non mi stupisce affatto." Poi mi sono riaddormentata, e posso giurarle che non avrei mai parlato di una cosa simile davanti a tre estranei se non me lo avesse tirato fuori con le tenaglie.»

«Ed è stato prima o dopo lo spavento per quell'uomo nel suo scompartimento?»

«Be', è la stessa situazione di prima! Non avrebbe potuto parlare con una donna se fosse stato morto, non le pare?»

«*Pardon*. Lei deve ritenermi molto stupido, signora.»

«Penso che anche a lei a volte si possano confondere le idee. E non riesco a capacitarmi che si trattasse di quel mostro di Cassetti. Che cosa dirà mia figlia...»

Poirot aiutò con destrezza la brava signora a rimettere nella borsa il suo contenuto e la accompagnò alla porta. All'ultimo momento, disse: «Le è caduto il fazzoletto, signora.»

Caroline Hubbard guardò il quadratino di batista che le porgeva. «Non è mio, signor Poirot. Il mio l'ho qui.»

«*Pardon*. Mi sembrava che vi fosse ricamata l'iniziale H...»

«Be', è davvero curioso, ma non è certo mio. Sui miei ci sono le iniziali C.M.H. e sono fazzoletti di buon senso, non costose sciocchezzuole parigine. Come si può soffiarsi il naso in un fazzoletto come questo?»

Nessuno dei tre uomini sembrava avere una risposta alla sua domanda, e la signora Hubbard veleggiò fuori trionfante.

Capitolo quinto

La deposizione della signora svedese

Monsieur Bouc teneva in mano il bottone che la signora Hubbard gli aveva lasciato.

«Questo bottone. Non riesco a capirlo. Significa forse che Pierre Michel, dopotutto, è implicato in qualche modo?» chiese. Fece una pausa e poiché Poirot non rispondeva riprese: «Che cosa ha da dire, amico mio?»

«Quel bottone mi suggerisce molte possibilità» disse Poirot pensoso. «Sentiamo subito la signora svedese prima di discutere della prova di cui siamo venuti a conoscenza.» Cercò nel mucchio di passaporti davanti a sé. «Ah! Ecco qui. Greta Ohlsson, quarantanove anni.»

Monsieur Bouc dette istruzioni al cameriere del ristorante e poco dopo venne introdotta la signora con la crocchia di capelli giallastri e il volto lungo e mite da pecora. Sbirciò Poirot attraverso gli occhiali da miope, ma era perfettamente calma. Si scoprì che capiva e parlava il francese, perciò la conversazione ebbe luogo in quella lingua. Per prima cosa l'investigatore le rivolse le domande delle quali già conosceva la risposta: nome, età e indirizzo. Poi le chiese che cosa facesse. Lei disse di essere direttrice di una scuola missionaria vicino a Istanbul. Era infermiera diplomata.

«Lei sa naturalmente che cosa è accaduto la notte scorsa, *mademoiselle*.»

«Certo. È davvero spaventoso. E la signora americana mi ha detto che l'assassino era proprio nel suo scompartimento.»

«A quanto ho sentito, è stata lei, *mademoiselle*, l'ultima persona a vedere viva la vittima.»

«Non lo so. Può darsi. Ho aperto la porta del suo scompartimento per errore. Mi sono vergognata molto. È stato un errore quanto mai imbarazzante.»

«E lo ha visto?»

«Sì. Leggeva un libro. Mi sono scusata in fretta e mi sono ritirata.»

«Non le ha detto nulla?»

Le guance della signora si imporporarono lievemente. «Ha riso e mi ha detto qualcosa. Io… non ho capito bene.»

«E poi che cosa ha fatto, *mademoiselle*?» chiese Poirot, sorvolando con tatto sull'argomento.

«Sono andata dalla signora americana, la signora Hubbard. Le ho chiesto dell'aspirina e lei me l'ha data.»

«Le ha chiesto se la porta di comunicazione fra il suo scompartimento e quello del signor Ratchett fosse chiusa?»

«Sì.»

«E lo era?»

«Sì.»

«E poi?»

«Poi sono tornata nel mio scompartimento, ho preso l'aspirina e mi sono coricata.»

«Che ora era?»

«Quando sono andata a letto erano esattamente le undici meno cinque, perché ho guardato l'orologio prima di ricaricarlo.»

«Si è addormentata in fretta?»

«Non molto in fretta. La mia testa andava meglio, ma sono rimasta sveglia per un po'.»

«Il treno si era fermato prima che si addormentasse?»

«Non credo. Ci siamo fermati a una stazione, proprio mentre mi appisolavo.»

«Deve essere Vinkovci. Il suo scompartimento è questo, *mademoiselle*?» Poirot indicò un punto sulla pianta.

«Sì.»

«Occupava la cuccetta inferiore o superiore?»

«Quella inferiore, il numero 10.»

«E aveva una compagna?»

«Sì, una signorina inglese. Molto simpatica, molto gentile. Veniva da Baghdad.»

«Dopo la partenza del treno da Vinkovci è uscita dallo scompartimento?»

«No, ne sono certa.»

«Come può esserne certa se dormiva?»

«Ho il sonno molto leggero. Mi sveglio al minimo rumore. Sono sicura che se fosse scesa dalla cuccetta superiore mi sarei svegliata.»

«E lei è uscita dallo scompartimento?»

«Non fino a questa mattina.»

«Ha un kimono di seta scarlatta, *mademoiselle*?»

«No davvero. Ho una comoda vestaglia di fustagno.»

«E la signora che è con lei, la signorina Debenham? Di che colore è la sua vestaglia?»

«Malva pallido, del tipo che si compra in Oriente.»

Poirot annuì. Quindi in tono cordiale chiese: «Perché fa questo viaggio? È in vacanza?»

«Sì, vado a casa in vacanza. Ma prima vado a Losanna da mia sorella, per una settimana o due.»

«Vorrebbe essere tanto gentile da scrivermi il nome e l'indirizzo di sua sorella?»

«Con piacere.» Prese il foglio e la matita che lui le porgeva e scrisse il nome e l'indirizzo richiesti.

«È mai stata in America, *mademoiselle*?»

«No. Una volta stavo per andarci. Dovevo accompagnare una signora invalida, ma all'ultimo momento non se n'è fatto nulla. L'ho rimpianto molto. Gli americani sono buoni. Danno molto denaro per fondare scuole e ospedali. Sono molto pratici.»

«E ricorda di aver sentito parlare del rapimento Armstrong?»

«No. Di cosa si trattava?»

Poirot glielo spiegò. Greta Ohlsson era sdegnata. La sua crocchia di capelli gialli tremava di emozione.

«Che ci siano uomini così cattivi al mondo! Questo mette a dura prova la nostra fede. Povera madre. Mi sanguina il cuore per lei.» L'amabile svedese si allontanò, il mite volto arrossato, gli occhi pieni di lacrime.

Poirot era occupato a scrivere su un foglio di carta.

«Che cosa scrive, amico mio?» chiese Monsieur Bouc.

«È mia abitudine essere preciso e ordinato, *mon cher*. Faccio una piccola tavola cronologica degli eventi.» Finì di scrivere e passò il foglio a Monsieur Bouc.

9.15: il treno parte da Belgrado.

9.40 circa: il cameriere lascia Ratchett con il sonnifero accanto.

10 circa: MacQueen lascia Ratchett.

10.40 circa: Greta Ohlsson vede Ratchett (per l'ultima volta vivo). Nota bene: era sveglio e leggeva.

0.10: il treno lascia Vinkovci (in ritardo).

0.30: il treno incappa in una tempesta di neve.

0.37: suona il campanello di Ratchett. Il controllore risponde. Ratchett dice: "*Ce n'est rien. Je me suis trompé.*"

1.17 circa: la signora Hubbard crede che ci sia un uomo nel suo scompartimento. Suona per il controllore.

Monsieur Bouc annuì approvando. «È chiarissimo» disse.

«Non c'è nulla che la colpisca perché lo trova strano?»

«No, mi sembra tutto molto chiaro e senza punti oscuri. Mi pare evidente che il delitto è stato commesso all'una e quindici. La prova dell'orologio ce lo dimostra, e la storia della signora Hubbard lo conferma. Farò un'ipotesi sull'identità dell'assassino. Dico che è stato quel grosso italiano. Viene dall'America, da Chicago, e si ricordi che l'arma degli italiani è il coltello, e ha colpito non una, ma più volte.»

«Questo è vero.»

«È senza dubbio questa la soluzione del mistero. Senza dubbio lui e Ratchett erano implicati in quel rapimento. Cassetti è un nome italiano. Ratchett deve avergli fatto, come dicono loro, lo sgambetto. L'italiano lo scova, prima gli manda le lettere minatorie, e alla fine si vendica in quel modo selvaggio. È tutto molto semplice.»

Poirot scosse il capo dubbioso.

«Temo che non sia tanto semplice» mormorò.

«Io sono convinto che sia la verità» ribadì Monsieur Bouc, infatuandosi sempre più della sua teoria.

«E come la mettiamo con quanto afferma il cameriere con il mal di denti, cioè che l'italiano non ha mai lasciato lo scompartimento?»

«È questa la difficoltà.»

Poirot strizzò gli occhi.

«Sì, è seccante. È una sfortuna per la sua teoria, e una incredibile fortuna per il nostro amico italiano, che il cameriere del signor Ratchett abbia avuto mal di denti.»

«Ci sarà una spiegazione» disse Monsieur Bouc con lodevole sicurezza.

Poirot scosse di nuovo il capo. «No, non è così semplice» mormorò di nuovo.

Capitolo sesto

La deposizione della principessa russa

«Sentiamo che cosa ha da dire Pierre Michel di questo "bottone"» disse Poirot.

Venne richiamato il controllore del vagone letto. L'uomo li guardò con espressione incuriosita. Monsieur Bouc si schiarì la gola.

«Qui c'è un bottone della sua uniforme, Michel» disse. «È stato trovato nello scompartimento della signora americana. Che cosa ha da dire in proposito?»

La mano del controllore andò meccanicamente all'uniforme. «Non ho perso nessun bottone, *monsieur*» disse. «Deve esserci un errore.»

«È molto strano.»

«Non so spiegarlo, *monsieur*.» L'uomo sembrava sbalordito, ma non aveva affatto un'aria colpevole o impaurita.

Monsieur Bouc disse in tono allusivo: «Stando alle circostanze in cui è stato trovato, sembra abbastanza sicuro che questo bottone sia stato perso dall'uomo che si trovava nello scompartimento della signora Hubbard ieri sera, quando ha suonato il campanello.»

«Ma non c'era nessuno, *monsieur*. La signora deve esserselo immaginato.»

«Non se l'è immaginato, Michel. L'assassino di Monsieur Ratchett è passato da quella parte, *e ha perso questo bottone*.»

Quando afferrò esattamente il senso di quanto Monsieur Bouc diceva, Pierre Michel fu preso da una violenta agitazione.

«Non è vero, *monsieur*, non è vero!» gridò. «Mi accusate del delitto. Sono innocente. Sono assolutamente innocente. Perché avrei dovuto uccidere un *monsieur* che non avevo mai visto prima?»

«Dov'era quando è suonato il campanello della signora Hubbard?»

«Gliel'ho già detto, *monsieur*, nella carrozza successiva, a parlare col mio collega.»

«Lo faremo chiamare.»

«Lo chiami, *monsieur*, la imploro.»

Venne convocato il controllore della carrozza successiva. Confermò senza esitazione quanto aveva detto Pierre Michel. Aggiunse che c'era anche il controllore della carrozza di Bucarest. I tre avevano parlato della situazione creata dalla neve. Parlavano da circa dieci minuti quando a Michel era sembrato di sentire un campanello. Mentre apriva la porta di comunicazione fra le due carrozze, lo avevano sentito tutti. Un campanello squillava ripetutamente. Michel era corso in fretta a rispondere.

«Come vede, non sono colpevole, *monsieur*» gridò Michel.

«E come spiega questo bottone di una uniforme da controllore dei vagoni letto?»

«Non so spiegarlo, *monsieur*. Per me è un mistero. Non mi manca nessun bottone.»

Gli altri due controllori dichiararono di non aver perso nessun bottone. E anche di non essere mai entrati nello scompartimento della signora Hubbard.

«Si calmi, Michel,» disse Monsieur Bouc «e cerchi di ricordare il momento in cui è corso a rispondere al campanello della signora Hubbard. Ha incontrato qualcuno nel corridoio?»

«No, *monsieur*.»

«Ha visto qualcuno allontanarsi da lei nella direzione opposta, lungo il corridoio?»

«Neppure questo, *monsieur*.»

«Strano» disse Monsieur Bouc.

«Non tanto» intervenne Poirot. «È questione di tempo. La signora Hubbard si sveglia e scopre qualcuno nel suo scompartimento. Per un minuto o due resta paralizzata, con gli occhi chiusi. Probabilmente è stato allora che l'uomo è scivolato in corridoio. Poi lei ha incominciato a suonare il campanello. Ma il controllore non viene subito. Sente solo il terzo o quarto squillo. Direi che c'è stato tutto il tempo...»

«Per che cosa? Per che cosa, *mon cher*? Ricordi che tutt'intorno al treno ci sono spessi banchi di neve.»

«Il nostro misterioso assassino aveva due possibilità» disse lentamente Poirot. «Si sarebbe potuto nascondere in una qualsiasi delle due toilette, o scomparire in uno scompartimento.»

«Ma erano tutti occupati.»

«Già.»

«Intende dire che avrebbe potuto scomparire nel *suo* scompartimento.»

Poirot annuì.

«Funziona, funziona» mormorò Monsieur Bouc. «Nei dieci minuti di assenza del controllore, l'assassino esce dal suo scompartimento, va in quello di Ratchett, lo uccide, chiude e mette il lucchetto alla porta dall'interno, attraversa lo scompartimento della signora Hubbard e ritorna sano e salvo nel suo scompartimento prima che arrivi il controllore.»

«Non è proprio così semplice, amico mio» obiettò Poirot. «Glielo dirà il nostro amico dottore.»

Con un gesto, Monsieur Bouc accennò ai tre controllori che potevano andare.

«Ci restano ancora otto passeggeri» disse Poirot. «Cinque di prima classe: la principessa Dragomiroff, il conte e la contessa Andrenyi, il colonnello Arbuthnot e il signor Hardman. Tre di seconda classe: la signorina Debenham, Antonio Foscarelli e la cameriera, Fräulein Schmidt.»

«Chi vuole vedere per primo: l'italiano?»

«Ce l'ha con l'italiano! No, incominceremo dalla cima. Forse Madame la Princesse sarà tanto gentile da dedicarci qualche minuto. Le porti questo messaggio, Michel.»

«*Oui, monsieur*» disse il controllore, che stava per uscire.

«Le dica che possiamo andare nel suo scompartimento se non vuole prendersi il disturbo di venire qui» gli gridò dietro Monsieur Bouc.

Ma la principessa Dragomiroff declinò la cortesia. Arrivò nel vagone ristorante, chinò leggermente il capo e si sedette di fronte a Poirot. La piccola faccia da rospo era ancora più gialla del giorno prima. Non si poteva negare che fosse brutta ma, come il rospo, aveva occhi splendenti come gemme, scuri e imperiosi, che rivelavano un'energia latente e una forza intellettuale della quale ci si accorgeva immediatamente. Aveva una voce profonda, molto chiara, con una impercettibile nota aspra. Tagliò corto alle elaborate scuse di Monsieur Bouc.

«Non si deve scusare, *monsieur*. A quanto ho sentito, c'è stato un omicidio. È naturale che dobbiate interrogare tutti i passeggeri. Sarò lieta di darvi l'aiuto che mi sarà possibile.»

«Lei è davvero amabile, *madame*» disse Poirot.

«Niente affatto. È un dovere. Che cosa vuole sapere?»

«Il suo nome e indirizzo completo, *madame*. Vorrebbe forse scriverli lei stessa?»

Poirot le offrì un foglio di carta e una matita, ma la principessa li respinse.

«Può scriverli lei» disse. «Non c'è niente di difficile: Natalia Dragomiroff, Avenue Kleber 17, Parigi.»

«Torna a casa da Costantinopoli, *madame*?»

«Sì, sono stata ospite dell'ambasciata austriaca. Mi accompagna la mia cameriera.»

«Vorrebbe essere tanto gentile da farmi un breve resoconto dei suoi movimenti di ieri sera, dalla cena in poi?»

«Volentieri. Ho detto al controllore di prepararmi il letto mentre ero nel vagone ristorante. Sono andata a letto subito dopo cena. Ho letto fino alle undici, quando ho spento la luce. Non riuscivo a dormire per via di certi dolori reumatici dei quali soffro. All'una meno un quarto circa ho suonato per chiamare la cameriera. Mi ha fatto un massaggio e mi ha letto ad alta voce fino a che non mi sono addormentata. Non posso dire esattamente quando se ne sia andata. Può essere stato mezz'ora dopo, o più tardi.»

«Il treno si era già fermato?»

«Il treno si era fermato.»

«Non ha udito niente di... inconsueto nel frattempo, *madame*?»

«Non ho udito niente di inconsueto.»

«Come si chiama la sua cameriera?»

«Hildegarde Schmidt.»

«È con lei da molto tempo?»

«Da quindici anni.»

«Ritiene di potersi fidare di lei?»

«Nel modo più assoluto. La sua famiglia viene da una proprietà del mio defunto marito, in Germania.»

«Immagino che lei sia stata in America, *madame*?»

Questo brusco cambiamento di argomento fece sollevare le sopracciglia alla vecchia signora.

«Più volte.»

«Ha mai conosciuto una famiglia di nome Armstrong, una famiglia nella quale ha avuto luogo una tragedia?»

Con una sfumatura di emozione nella voce, la vecchia signora disse: «Sta parlando di miei amici, *monsieur*.»

«Conosceva bene il colonnello Armstrong, allora?»

«Lo conoscevo appena; ma sua moglie, Sonia Armstrong, era la mia figlioccia. Ero molto amica di sua madre, l'attrice Linda Arden. Linda Arden era un genio, una delle più grandi attrici tragiche del mondo. Nella parte di Lady Macbeth, di Magda, non c'era nessuna che potesse starle alla pari. Non ero solo un'ammiratrice della sua arte, ero un'amica personale.»

«È morta?»

«No, no, è viva, ma si è ritirata dal mondo. È di salute molto cagionevole, deve restare distesa su un divano per la maggior parte del tempo.»

«C'era anche una figlia minore, credo?»

«Sì, molto più giovane della signora Armstrong.»

«Ed è viva?»

«Senza dubbio.»

«Dove si trova?»

La vecchia principessa gli lanciò uno sguardo penetrante. «Devo chiederle il motivo di queste domande. Che cosa hanno a che vedere con la faccenda di cui ci occupiamo, l'assassinio su questo treno?»

«Il fatto è, *madame*, che l'uomo assassinato era il responsabile del rapimento e dell'assassinio della piccola Daisy Armstrong.»

«Ah!»

Le sopracciglia diritte si unirono, aggrottate. La principessa Dragomiroff si eresse ancora di più sulla schiena.

«Dal mio punto di vista, allora, questo omicidio è un avvenimento assolutamente meraviglioso! Mi scuserà se vedo le cose con una certa parzialità.»

«È più che naturale, *madame*. E adesso, per tornare alla domanda alla quale non ha risposto: dove si trova in questo momento la figlia minore di Linda Arden, la sorella della signora Armstrong?»

«Francamente non sono in grado di dirglielo, *monsieur*. Ho perso i contatti con la generazione più giovane. Credo abbia sposato un inglese qualche anno fa e sia andata in Inghilterra, ma per il momento non riesco a ricordarne il nome.» Fece una breve pausa prima di aggiungere: «C'è qualche altra cosa che vuole chiedermi, signore?»

«Una sola, *madame*, una domanda piuttosto personale. Di che colore è la sua vestaglia?»

La donna inarcò un poco le sopracciglia. «Devo ritenere che abbia un motivo per farmi questa domanda. La mia vestaglia è di satin blu.»

«Non c'è altro, *madame*. Le sono molto obbligato per avere risposto con tanta prontezza alle mie domande.»

Lei accennò un piccolo gesto con la mano carica di anelli. Poi, mentre si alzava, e gli altri si alzavano con lei, esitò. «Voglia scusarmi, *monsieur*,» disse «ma posso chiederle come si chiama? Il suo viso mi sembra familiare.»

«Mi chiamo Hercule Poirot, *madame*. Per servirla.»

Lei rimase in silenzio per un attimo, poi disse: «Hercule Poirot... Sì, adesso ricordo. È il Destino.»

Si allontanò, con la schiena eretta, un po' rigida nei movimenti.

«*Voilà une grande dame*» disse Monsieur Bouc. «Che cosa ne pensa, amico mio?»

Hercule Poirot si limitò a scuotere la testa.

«Mi chiedo» disse «che cosa intendesse con Destino.»

Capitolo settimo

Le deposizioni del conte e della contessa Andrenyi

Vennero poi convocati il conte e la contessa Andrenyi. Il conte, tuttavia, entrò nel vagone ristorante da solo.

Non si poteva negare che, visto da vicino, fosse davvero un bell'uomo. Alto almeno un metro e ottanta, con le spalle larghe e i fianchi snelli, indossava un impeccabile abito di tweed, e si sarebbe potuto prenderlo per un inglese se non fosse stato per la lunghezza dei baffi e per qualcosa nel disegno degli zigomi.

«Ebbene, signori,» disse «che cosa posso fare per voi?»

«Comprenderà che, alla luce di quanto è accaduto, sono costretto a rivolgere alcune domande a tutti i passeggeri, *monsieur*» dichiarò Poirot.

«Perfettamente, perfettamente» disse il conte, a proprio agio. «Capisco la sua posizione. Non che io e mia moglie possiamo fare molto per aiutarla, temo. Dormivamo e non abbiamo sentito nulla.»

«Lei è al corrente dell'identità del defunto, *monsieur*?»

«Mi è parso di capire che fosse il grosso americano: un uomo dal volto decisamente sgradevole. Sedeva a quel tavolo.» Con un cenno del capo indicò il tavolo che avevano occupato Ratchett e MacQueen.

«Sì, *monsieur*, quanto afferma è esatto. Intendevo chiederle se conoscesse il nome di quell'uomo.»

«No.» Il conte sembrava incapace di comprendere il perché delle domande di Poirot. «Se vuole sapere il suo nome,» disse «lo troverà senza dubbio sul suo passaporto.»

«Il nome sul passaporto è Ratchett» replicò Poirot. «Ma non è il suo vero nome, *monsieur*. Il suo vero nome è Cassetti, il responsabile di un famoso rapimento in America.»

Mentre parlava, osservava attentamente il conte, ma questi sembrò restare assolutamente indifferente a quella notizia. Si limitò ad aprire un po' gli occhi.

«Ah!» disse. «Questo getta un certo lume sulla faccenda. Un paese straordinario, l'America.»

«Forse lei ci è stato, *monsieur le comte*?»

«Sono stato un anno a Washington.»

«Ha conosciuto la famiglia Armstrong?»

«Armstrong, Armstrong... è difficile ricordarlo, si incontra tanta gente.» Sorrise e si strinse nelle spalle. «Ma per tornare alla faccenda di cui ci occupiamo, signore,» disse «in che altro posso esserle utile?»

«A che ora si è ritirato a riposare, *monsieur le comte*?»

Lo sguardo di Hercule Poirot si spostò sulla pianta. Il conte e la contessa Andrenyi occupavano due scompartimenti adiacenti, i numeri 12 e 13.

«Ci siamo fatti preparare uno scompartimento per la notte mentre eravamo nel vagone ristorante. Al nostro ritorno siamo rimasti seduti per un po' nell'altro...»

«E in quale dei due?»

«Il numero 13. Abbiamo giocato a picchetto. Verso le undici, mia moglie si è ritirata per la notte. Il controllore ha preparato il mio scompartimento e sono andato a letto anch'io. Ho dormito profondamente fino al mattino.»

«Ha notato che il treno si era fermato?»

«Non me ne sono reso conto fino a questa mattina.»

«E sua moglie?»

Il conte sorrise.

«Quando viaggia in treno mia moglie prende sempre un sonnifero. Ha preso la sua solita dose di Trional.» Fece una pausa. «Mi dispiace non poterle essere utile in alcun modo.»

Poirot gli porse un foglio di carta e una penna.

«Grazie, *monsieur le comte*. È una formalità, ma vorrebbe darmi il suo nome e indirizzo?»

Il conte scrisse lentamente, con attenzione.

«È meglio che glielo scriva io» disse in tono cordiale. «La grafia della mia tenuta di campagna è un po' difficile per chi non conosce la lingua.» Restituì il foglio all'investigatore e si alzò. «Sarà inutile che venga anche mia moglie» disse. «Non può dirle nulla più di quanto le abbia già detto io.»

Negli occhi di Poirot balenò un impercettibile scintillio.

«Senza dubbio, senza dubbio» disse. «Tuttavia, mi piacerebbe scambiare due parole con Madame la Comtesse.»

«Le assicuro che è del tutto inutile.»

La sua voce aveva un tono autoritario. Poirot lo guardò strizzando gli occhi.

«Sarà una semplice formalità» disse. «Ma capirà che è necessario per il mio rapporto.»

«Come vuole.»

Il conte cedette di malagrazia. Fece un piccolo inchino esotico e uscì dal vagone ristorante. Poirot tese la mano verso un passaporto. Elencava il nome e i titoli del conte. Passò all'informazione successiva: accompagnato dalla moglie. Nome di battesimo: Elena Maria. Nome da ragazza: Goldenberg. Età: vent'anni. Una macchia di unto vi era stata fatta cadere da qualche funzionario negligente.

«Un passaporto diplomatico» disse Monsieur Bouc. «Dobbiamo stare attenti a non offenderli, amico mio. Queste persone non possono avere niente a che fare col delitto.»

«Stia tranquillo, *mon vieux*, agirò con molto tatto. Una semplice formalità.»

La voce di Poirot si abbassò mentre entrava nel vagone ristorante la contessa Andrenyi. Sembrava timida ed era molto attraente.

«Voleva vedermi, *monsieur*?»

«Una semplice formalità, *madame la comtesse*.» Poirot si alzò con fare galante e le accennò, inchinandosi, di sedere di fronte a lui. «È solo per chiederle se ha visto o udito qualcosa ieri sera che possa chiarire in qualche modo questa faccenda.»

«Proprio nulla, *monsieur*. Dormivo.»

«Non ha sentito, per esempio, un po' di confusione

nello scompartimento accanto al suo? La signora americana che lo occupa ha avuto un vero attacco isterico e ha chiamato il controllore.»

«Non ho sentito nulla, *monsieur*. Sa, avevo preso un sonnifero.»

«Ah! Capisco. Be', non la tratterrò ancora.» E mentre lei si alzava in fretta, aggiunse: «Ancora un minuto: questi particolari, il suo nome da ragazza, l'età e il resto, sono esatti?»

«Certamente, *monsieur*.»

«Vorrebbe firmare questa dichiarazione in proposito?»

Lei firmò in fretta, con una grafia elegante e inclinata: "Elena Andrenyi".

«Ha accompagnato suo marito in America, *madame*?»

«No, *monsieur*.» Lei sorrise e arrossì un poco. «Non eravamo ancora sposati. Siamo sposati solo da un anno.»

«Ah, sì, grazie *madame*. A proposito, suo marito fuma?»

Lei lo fissò mentre già si accingeva ad andarsene.

«Sì.»

«La pipa?»

«No. Sigarette e sigari.»

«Ah! Grazie.»

La donna esitò. I suoi occhi lo scrutavano incuriositi. Erano begli occhi scuri, a mandorla, con lunghissime ciglia che ombreggiavano il pallore squisito delle guance. Le labbra, molto rosse, come usano le straniere, erano appena dischiuse. Aveva un aspetto esotico e affascinante.

«Perché mi ha fatto questa domanda?»

«Gli investigatori devono fare ogni tipo di domande, *madame.*» Poirot agitò con leggerezza una mano. «Mi direbbe il colore della sua vestaglia, per esempio?»

La contessa lo fissò, poi rise. «È di chiffon color grano. È davvero importante?»

«Molto importante, *madame.*»

«È davvero un investigatore, allora?» chiese lei incuriosita.

«Al suo servizio, *madame.*»

«Credevo che non ci fossero investigatori sul treno mentre attraversavamo la Iugoslavia, non fino a quando avessimo raggiunto l'Italia.»

«Non sono un investigatore iugoslavo, *madame.* Sono un investigatore internazionale.»

«Appartiene alla Società delle Nazioni?»

«Appartengo al mondo, *madame*» disse Poirot in tono teatrale. «Lavoro soprattutto a Londra» proseguì. «Parla inglese?» aggiunse in quella lingua.

«Un po', sì.»

Aveva un accento affascinante. Poirot si inchinò di nuovo. «Non la tratterremo oltre, *madame.* Come vede, non è stato poi così terribile.»

Lei sorrise, chinò il capo e si allontanò.

«*Elle est une jolie femme*» disse con ammirazione Monsieur Bouc. Sospirò. «Ma questo non ci ha portato molto avanti.»

«No» disse Poirot. «Due persone che non hanno visto e udito nulla.»

«Adesso vogliamo sentire l'italiano?»

Per un attimo Poirot non rispose. Studiava una macchia di unto su un passaporto diplomatico ungherese.

Capitolo ottavo

La deposizione del colonnello Arbuthnot

Poirot si riscosse trasalendo. I suoi occhi scintillavano un po' quando incontrarono quelli impazienti di Monsieur Bouc.

«Ah, mio caro amico! Sono proprio diventato quello che si dice uno snob! La prima classe, ho l'impressione che vada sentita prima della seconda. Adesso direi di interrogare il bel colonnello Arbuthnot.»

Poiché il francese del colonnello era alquanto limitato, Poirot lo interrogò in inglese. Vennero accertati il nome di Arbuthnot, la sua età, l'indirizzo privato e la posizione militare. «Forse torna dall'India in licenza,» proseguì l'investigatore «*en permission*, come diciamo noi?»

Il colonnello Arbuthnot, che non provava alcun interesse per come un mucchio di stranieri potesse dire qualunque cosa, rispose con autentica concisione britannica.

«Sì.»

«Ma non torna a casa su una nave della compagnia Persia and Orient?»

«No.»

«Perché no?»

«Ho preferito tornare via terra per motivi miei.»

"E questa è per te," sembravano dire i suoi modi "piccolo straniero intrigante."

«È venuto direttamente dall'India?»

Il colonnello rispose asciutto: «Mi sono fermato una notte a vedere Ur dei Caldei e tre giorni a Baghdad con il viceconsole, che si dà il caso sia un mio vecchio amico.»

«Così si è fermato tre giorni a Baghdad. A quanto ho saputo, quella giovane signora inglese, la signorina Debenham, viene anche lei da Baghdad. Forse vi siete conosciuti là?»

«No. Ho conosciuto la signorina Debenham quando abbiamo viaggiato nella stessa carrozza ferroviaria da Kirkuk a Nissibin.»

Poirot si chinò in avanti. Il suo tono si fece suadente e un po' più straniero di quanto avrebbe dovuto.

«Intendo appellarmi a lei, *monsieur*. Lei e la signorina Debenham siete gli unici inglesi su questo treno. È necessario che possa chiedere a ognuno di voi due quello che pensa dell'altro.»

«Profondamente scorretto» disse il colonnello Arbuthnot con freddezza.

«No davvero. Questo delitto, vede, è stato commesso molto probabilmente da una donna. L'uomo è stato pugnalato non meno di dodici volte. Perfino il capotreno ha detto subito: "È stata una donna." Ebbene, qual è allora il mio primo compito? Prendere in esame in maniera rapida ma approfondita tutte le donne che viaggiano sulla carrozza Istanbul-Calais. Ma è difficile giudicare un inglese. Le inglesi sono molto riservate. Perciò faccio appello a lei, *monsieur*, nell'interesse della giustizia. Che tipo di donna è la signorina Debenham? Che cosa sa di lei?»

«La signorina Debenham» disse il colonnello con un certo calore «è una vera signora.»

«Ah!» osservò Poirot, palesemente molto soddisfatto. «Perciò non pensa che possa essere coinvolta in questo delitto?»

«È un'idea assurda» replicò Arbuthnot. «Quell'uomo era un perfetto estraneo, non l'aveva mai visto prima.»

«Glielo ha detto lei?»

«Proprio così. Ha osservato subito come fosse sgradevole il suo aspetto. Se c'è di mezzo una donna, come lei sembra ritenere... a mio parere senza nessuna prova..., posso assicurarle che questa non può essere assolutamente la signorina Debenham.»

«Sembra che le stia molto a cuore» osservò Poirot con un sorriso.

Il colonnello Arbuthnot gli lanciò uno sguardo gelido. «Non capisco davvero che cosa voglia dire.»

Il suo sguardo sembrò mortificare Poirot. Abbassò gli occhi e incominciò a giocherellare con le carte davanti a sé.

«Tutto ciò è secondario» disse. «Siamo pratici e veniamo ai fatti. Abbiamo motivo di credere che questo delitto sia avvenuto all'una e un quarto di ieri notte. Fa parte della procedura necessaria chiedere a chiunque si trovasse sul treno che cosa stesse facendo a quell'ora.»

«D'accordo. All'una e un quarto, per quanto mi ricordo, parlavo con quel giovane americano, il segretario del morto.»

«Ah! In quale scompartimento eravate?»

«Nel suo.»

«Sarebbe il giovanotto che si chiama MacQueen?»

«Sì.»

«È un suo amico, o lo conosce appena?»

«Non l'avevo mai visto prima di questo viaggio. Ci siamo messi per caso a conversare ieri e ci siamo infervorati entrambi. Di solito, non mi piacciono gli americani, non mi dicono proprio nulla...»

Poirot sorrise, ricordando quanto aveva detto MacQueen dei "britannici".

«Ma quel giovanotto mi piaceva. Si era fatto alcune idee assurde sulla situazione in India. È questo il peggio degli americani: sono così idealisti e sentimentali. Be', quanto avevo da dirgli lo interessava. Ho quasi trent'anni di esperienza in quel paese. E a me interessava quanto aveva da dire lui sulla situazione finanziaria in America. Poi ci siamo messi a parlare della politica mondiale. Quando ho guardato il mio orologio mi sono davvero stupito nello scoprire che erano le due meno un quarto.»

«È questa l'ora alla quale avete interrotto la vostra conversazione?»

«Sì.»

«E poi che cosa ha fatto?»

«Sono tornato nel mio scompartimento.»

«Il suo letto era già pronto?»

«Sì.»

«Sarebbe lo scompartimento... mi faccia vedere... il numero 15, il penultimo dalla parte opposta al vagone ristorante.»

«Sì.»

«Dove si trovava il controllore quando lei è entrato nel suo scompartimento?»

«Era seduto a un tavolino in fondo. In realtà MacQueen l'ha chiamato proprio mentre entravo nel mio scompartimento.»

«Perché lo ha chiamato?»

«Per fargli preparare il letto, ritengo. Lo scompartimento non era stato preparato per la notte.»

«Adesso, colonnello Arbuthnot, voglio che rifletta bene. Mentre conversava con il signor MacQueen è passato qualcuno nel corridoio davanti alla porta?»

«Molta gente, direi. Non prestavo attenzione.»

«Ah! Ma mi riferisco... diciamo all'ultima ora e mezzo di conversazione. Lei è sceso a Vinkovci, non è vero?»

«Sì, ma solo per un minuto. C'era una tempesta di neve. Il freddo era davvero spaventoso. C'era da ringraziare il cielo a tornarsene al caldo, anche se di solito penso che sia scandaloso il modo in cui questi treni vengono surriscaldati.»

Monsieur Bouc sospirò.

«È molto difficile accontentare tutti» disse. «Gli inglesi spalancano sempre tutto, gli altri arrivano e chiudono. È molto difficile.»

Né Poirot né il colonnello Arbuthnot gli prestarono attenzione.

«Adesso, *monsieur*, ripensi a quanto è accaduto» disse l'investigatore in tono incoraggiante. «Fuori faceva freddo. È risalito in treno. Si è seduto di nuovo, ha fumato, forse una sigaretta, forse una pipa...»

Si interruppe per una frazione di secondo.

«Io la pipa... MacQueen fumava sigarette.»

«Il treno riparte. Lei fuma la sua pipa. Discute la situazione europea... mondiale. Ormai è tardi. La maggior parte della gente si è ritirata per la notte. Qualcuno passa davanti alla porta? Rifletta.»

Arbuthnot aggrottò la fronte nello sforzo di ricordare.

«Difficile a dirsi. Sa, non prestavo alcuna attenzione.»

«Ma lei ha la capacità dei militari di osservare i particolari. Nota senza notare, per così dire.»

Il colonnello rifletté ancora, ma scosse il capo. «Non saprei dire. Non ricordo che sia passato qualcuno, a parte il controllore. Tuttavia... aspetti... c'era anche una donna, credo.»

«L'ha vista? Era vecchia... giovane?»

«Non l'ho vista. Non guardavo da quella parte. Solo un fruscio e una scia di profumo.»

«Profumo? Un *buon* profumo?»

«Be', piuttosto intenso, se capisce cosa intendo. Voglio dire che si sarebbe potuto sentire a centinaia di metri. Ma badi,» si affrettò a proseguire il colonnello «avrebbe anche potuto essere prima. Come ha appena detto, era una di quelle cose che si notano senza notare, per così dire. In qualche momento durante la serata, mi sono detto: "Donna... profumo... non ci è andata leggera." Ma *quando* sia stato non saprei dirlo con certezza, a parte il fatto che... ma certo, deve essere stato dopo Vinkovci.»

«Perché?»

«Perché ricordo di avere percepito il profumo proprio mentre dicevo che il piano quinquennale di Stalin era stato un completo fallimento. L'idea della donna mi ha fatto pensare alla posizione delle donne in Russia. E so che siamo arrivati alla Russia solo verso la fine della nostra conversazione.»

«Non saprebbe essere più preciso?»

«No... deve essere stato all'incirca nell'ultima mezz'ora.»

«Dopo che il treno si era fermato?»

L'altro annuì. «Sì, ne sono quasi certo.»

«Be', passiamo ad altro. È mai stato in America, colonnello Arbuthnot?»

«Mai. Non desidero andarci.»

«Ha mai conosciuto un colonnello Armstrong?»

«Armstrong, Armstrong, ho conosciuto due o tre Armstrong. C'era Tommy Armstrong, del Sessantesimo: intende lui? E Selby Armstrong: è morto sulla Somme.»

«Parlo del colonnello Armstrong, che ha sposato un'americana e la cui unica figlia è stata rapita e uccisa.»

«Ah, sì, ricordo di averlo letto: una storia sconvolgente. Ma non credo di aver mai conosciuto quell'uomo. Naturalmente ho sentito parlare di lui. Toby Armstrong, un tipo simpatico. Piaceva a tutti. Ha fatto una splendida carriera. Ha ottenuto la Victoria Cross.»

«L'uomo che è stato ucciso ieri sera è il responsabile dell'assassinio della bambina del colonnello Armstrong.»

Il volto di Arbuthnot si incupì. «In tal caso, a mio parere, quel porco ha avuto quello che si meritava.

Per quanto avrei preferito vederlo impiccato come si deve... o sulla sedia elettrica, come si usa da quelle parti.»

«In poche parole, colonnello Arbuthnot, preferisce la legge e l'ordine alla vendetta privata?»

«Be', non possiamo certo andarcene in giro a fare vendette sanguinose e ad accoltellarci l'un l'altro, come fanno i Corsi o la Mafia» rispose il colonnello. «Dica quello che vuole, ma un processo con una giuria è di sicuro il sistema migliore.»

Poirot lo guardò riflettendo per qualche minuto.

«Sì» disse. «Sono certo che lei la pensi così. Credo di non avere altro da chiederle, colonnello Arbuthnot. Non riesce a ricordare qualcosa, qualsiasi cosa, che ieri sera le sia sembrato sospetto, o piuttosto che glielo sembri adesso, ripensandoci?»

Arbuthnot rifletté per qualche attimo. «No. Proprio nulla. A meno che...» Sembrò esitare.

«Ma sì, continui, la prego.»

«Be', in realtà è una sciocchezza» disse lentamente il colonnello. «Lei però ha detto *qualsiasi cosa...*»

«Sì, sì. Continui.»

«Oh, non è nulla. Un semplice particolare. Ma quando sono rientrato nel mio scompartimento ho notato che la porta di quello oltre il mio, sa, quello in fondo...»

«Sì, il numero 16.»

«Be', la porta non era perfettamente chiusa. E l'occupante sbirciava fuori in modo furtivo. Poi ha richiuso in fretta la porta. So naturalmente che non significa nulla: mi è sembrato solo un po' strano. Cioè, non c'è niente di strano nell'aprire una porta e mettere la testa fuori, se vuole vedere qualcosa. Tuttavia è stato il modo furtivo in cui lo faceva che ha colpito la mia attenzione.»

«Già» mormorò Poirot dubbioso.

«Le ho detto che era una cosa da nulla» si scusò Arbuthnot. «Ma sa com'è. Le prime ore del mattino, un gran silenzio... la cosa aveva un aspetto sinistro, come in un romanzo giallo. Una sciocchezza, in realtà.» Si alzò. «Be', se non ha più bisogno di me...»

«Grazie, colonnello Arbuthnot, non c'è altro.»

L'ufficiale esitò un istante. La sua istintiva repulsione a essere interrogato da uno "straniero" era svanita.

«Quanto alla signorina Debenham» disse con un certo imbarazzo. «Può credere a me, è assolutamente a posto. È una *pukka sahib*.» E arrossendo leggermente si ritirò.

«Che cosa significa *pukka sahib*?» chiese il dottor Constantine interessato.

«Significa» disse Poirot «che il padre e i fratelli della signorina Debenham hanno frequentato lo stesso tipo di scuola del colonnello Arbuthnot.»

«Oh!» disse il dottor Constantine alquanto deluso. «Allora non ha niente a che vedere con il delitto.»

«Proprio così» disse Poirot. Piombò in una fantasticheria, tamburellando lievemente sul tavolo. Poi alzò lo sguardo. «Il colonnello Arbuthnot fuma la pipa» disse. «Nello scompartimento di Monsieur Ratchett ho trovato un nettapipe. Monsieur Ratchett fumava solo sigari.»

«Crede...?»

«È l'unico, fino a questo momento, ad avere ammesso di fumare la pipa. E sapeva del colonnello Armstrong, forse lo conosceva perfino, sebbene non voglia confessarlo.»

«Dunque ritiene possibile...?»

Poirot scosse il capo con energia. «È *impossibile*, è assolutamente impossibile che un galantuomo inglese, un po' ottuso e tutto d'un pezzo, pugnali dodici volte un nemico con un coltello! Non si rende conto di quanto sia impossibile, amico mio?»

«Questa è psicologia» disse Monsieur Bouc.

«E si deve rispettare la psicologia. Questo delitto porta una firma, e non è certo quella del colonnello Arbuthnot. Ma passiamo al prossimo interrogatorio.»

Questa volta Monsieur Bouc non accennò all'italiano. Però ci pensò.

Capitolo nono

La deposizione del signor Hardman

L'ultimo passeggero di prima classe a essere interrogato, il signor Hardman, era il grosso americano vistoso che sedeva a tavola con l'italiano e il cameriere.

Indossava un completo a scacchi piuttosto sgargiante, una camicia rosa, una spilla da cravatta appariscente, e stava masticando qualcosa quando entrò nel vagone ristorante. Aveva un volto largo, carnoso, con lineamenti rozzi e un'espressione cordiale.

«'Giorno, signori» disse. «Che cosa posso fare per voi?»

«Ha sentito di questo omicidio, signor... Hardman?»

«Certo.» Spostò con disinvoltura la gomma da masticare.

«Ci troviamo nella necessità di interrogare tutti i passeggeri del treno.»

«Per me va benissimo. Immagino sia l'unico sistema per risolvere la cosa.»

Poirot consultò il passaporto che aveva davanti a sé.

«Lei è Cyrus Beltman Hardman, cittadino statunitense, quarantun anni, commesso viaggiatore per una ditta che tratta nastri da macchine per scrivere?»

«Esatto, sono io.»

«Viaggia da Istanbul a Parigi?»

«Proprio così.»

«Motivo?»

«Affari.»

«Viaggia sempre in prima classe, signor Hardman?»

«Sì, signore. Le spese di viaggio le paga la ditta.» Ammiccò.

«E ora, signor Hardman, veniamo agli avvenimenti di ieri sera.»

L'americano annuì.

«Che cosa può dirci in proposito?»

«Proprio niente.»

«Ah, è un peccato. Forse vorrà dirci esattamente che cosa ha fatto ieri sera, dalla cena in poi, signor Hardman?»

Per la prima volta l'americano sembrò non avere la risposta pronta. Infine replicò: «Scusatemi, signori, ma chi siete di preciso? Vorrei saperlo.»

«Questo è Monsieur Bouc, un direttore della Compagnia internazionale dei Vagoni letto. Questo signore è il medico che ha esaminato il corpo.»

«E lei?»

«Sono Hercule Poirot. Sono stato assunto dalla Compagnia per investigare su questo delitto.»

«Ho sentito parlare di lei» disse il signor Hardman. Rifletté ancora per qualche minuto. «Immagino sia meglio vuotare il sacco.»

«Le consiglio caldamente di riferirci tutto quello che sa» disse brusco Poirot.

«Non so davvero nulla, proprio come le ho detto. Ma *dovrei* sapere qualcosa. È questo che mi rode. *Dovrei.*»

«Sia più chiaro, la prego, signor Hardman.»

Il signor Hardman sospirò profondamente, si tolse di bocca la gomma da masticare e se la infilò in tasca. In quell'esatto momento tutta la sua personalità sembrò subire un cambiamento. Diventò meno simile a un personaggio teatrale, e più umano. La sonora voce nasale si modificò.

«Quel passaporto è un po' un imbroglio» disse. «Ecco chi sono in realtà.»

Poirot esaminò il biglietto che gli era stato consegnato. Monsieur Bouc sbirciò da sopra la sua spalla.

CYRUS B. HARDMAN

AGENZIA INVESTIGATIVA MCNEIL

NEW YORK

Poirot la conosceva di nome. Era una delle più note e stimate agenzie investigative private di New York.

«E ora, signor Hardman,» disse «sentiamo che cosa significa tutto questo.»

«Certo. Le cose stanno così. Ero venuto in Europa sulle tracce di una coppia di imbroglioni, niente a che fare con questa faccenda. La caccia è finita a Istanbul. Ho telegrafato al capo e ho avuto istruzioni di tornare, e mi sarei dovuto mettere sulla via del ritorno verso la cara, vecchia New York, quando ho ricevuto questa.»

Gli porse una lettera. L'intestazione era quella dell'Hotel Tokatlian.

Caro signore,

lei mi è stato segnalato come un detective della Agenzia investigativa McNeil. Voglia cortesemente presentarsi nel mio appartamento questo pomeriggio alle quattro.

Era firmata "S.E. Ratchett".

«*Eh bien?*»

«Mi sono presentato all'ora indicata e il signor Ratchett mi ha messo al corrente della situazione. Mi ha mostrato un paio di lettere che aveva ricevuto.»

«Era preoccupato?»

«Fingeva di no, ma era spaventato a dovere. Mi ha fatto una proposta. Avrei dovuto viaggiare con lui sullo stesso treno fino a Parigi e fare in modo che non gli accadesse nulla. Be', signori, *ho viaggiato* sul suo stesso treno e mio malgrado *qualcosa gli è accaduto*. Certo che mi rode. Non è proprio niente di buono per me.»

«Ratchett le ha dato qualche indicazione sulla linea da seguire?»

«Certo. Aveva predisposto tutto. La sua idea era che viaggiassi nello scompartimento accanto al suo. Be', questo punto è saltato subito. L'unico posto che sono riuscito a ottenere è stata la cuccetta numero 16, e non è stato neppure facile. Immagino che il controllore preferisca tenersi quello scompartimento di riserva. Ma non c'era altro da fare. Dopo aver esaminato bene la situazione mi è sembrato che il numero 16 non fosse male come posizione strategica. Davanti al vagone letto di Istanbul c'era solo il vagone ristorante, e lo sportello anteriore che dà sul marciapiede di notte viene chiuso. L'unico modo di entrare per un assassino sarebbe stato attraverso lo sportello posteriore, o lungo il treno. In entrambi i casi sarebbe dovuto passare davanti al mio scompartimento.»

«Lei non aveva alcun sospetto sull'identità di un possibile aggressore, immagino.»

«Be', sapevo che aspetto aveva. Me lo aveva descritto il signor Ratchett.»

«Che aspetto?»

I tre uomini si sporsero verso Hardman, le orecchie tese.

«Piccolo, scuro, con una voce effeminata» proseguì l'americano. «Così ha detto il vecchio. E non pensava sarebbe stato la prima notte, ha detto. Piuttosto la seconda o la terza.»

«Sapeva qualcosa» disse Monsieur Bouc.

«Sapeva certamente più di quanto abbia detto al suo segretario» osservò Poirot. «Le ha detto qualcosa di questo nemico? Le ha detto, per esempio, *perché* la sua vita era in pericolo?»

«No, su questo punto era reticente. Mi ha detto solo che quel tipo voleva la sua pelle.»

«Un uomo piccolo, scuro, con la voce da donna» disse pensoso Poirot. Quindi, fissando Hardman, aggiunse: «Lei naturalmente sapeva chi era in realtà.»

«Chi, signore?»

«Ratchett. Lo aveva riconosciuto?»

«Non capisco.»

«Ratchett era Cassetti, l'assassino del caso Armstrong.»

Il signor Hardman si lasciò sfuggire un fischio prolungato.

«Questa è proprio bella!» disse. «No, non l'ho riconosciuto. Ero nell'Ovest quando è accaduto il fatto. Immagino di aver visto le sue fotografie sui giornali, ma non riconoscerei mia madre quando c'è di mezzo un fotografo della stampa. Be', non dubito che più di una persona ce l'avesse con Cassetti.»

«Conosce qualcuno implicato nel caso Armstrong che risponda a questa descrizione: piccolo, scuro, con la voce da donna?»

Hardman rifletté per qualche minuto. «È difficile a dirsi. Quasi tutti quelli che avevano a che fare con quel caso sono morti.»

«C'era la ragazza che si gettò dalla finestra, si ricordi.»

«Certo. Questo è azzeccato. Era una straniera. Forse c'era qualche guappo fra i suoi parenti. Ma dovete ricordare che ci sono stati altri casi oltre a quello della piccola Armstrong. Cassetti era responsabile anche di altri rapimenti. Non potete concentrarvi solo su quello.»

«Ma abbiamo motivo di credere che questo delitto sia connesso al caso Armstrong.»

Il signor Hardman fissò su Poirot uno sguardo interrogativo. Lui sembrò non accorgersene. L'americano scosse il capo.

«Non riesco a ricordarmi nessuno che risponda a questa descrizione nel caso Armstrong» disse lentamente. «Ma naturalmente non me ne sono occupato e non ne sapevo molto.»

«Continui il suo racconto, Monsieur Hardman.»

«C'è ben poco da dire. Dormivo durante il giorno e vegliavo di notte. La prima notte non è accaduto nulla di sospetto. Ieri notte è stato lo stesso, per quanto ne so. Tenevo la porta un po' socchiusa e guardavo. Non è passato nessun estraneo.»

«È sicuro di questo, Monsieur Hardman?»

«Sicurissimo. Nessuno è salito in treno da fuori e nessuno è venuto dalle carrozze posteriori. Sarei pronto a giurarlo.»

«Riusciva a vedere il controllore, dalla sua posizione?»

«Certo. Siede su quel seggiolino che è quasi al livello della mia porta.»

«Ha mai lasciato quel sedile dopo che il treno si è fermato a Vinkovci?»

«Sarebbe l'ultima stazione? Perbacco, sì, ha risposto a due chiamate, quasi subito dopo che il treno si è fermato del tutto. Poi è passato davanti alla mia porta per entrare nell'altra carrozza: ci è rimasto circa un quarto d'ora. C'era un campanello che suonava furiosamente e lui è ritornato di corsa. Sono uscito in corridoio per vedere di che cosa si trattasse: mi sentivo un tantino nervoso, capite, ma era solo la signora americana. Faceva un pandemonio per non so che cosa. Ho ridacchiato. Poi il controllore è andato in un altro scompartimento ed è tornato a prendere una bottiglia di acqua minerale per qualcuno. Dopo di che si è riappollaiato sul suo seggiolino finché non è andato in fondo al vagone a preparare il letto di qualcuno. Credo che da allora non si sia più mosso fino alle cinque di stamattina.»

«Si è appisolato?»

«Non sono in grado di dirlo. Potrebbe essere.»

Poirot annuì. Le sue mani riordinarono automaticamente le carte davanti a lui. Riprese in mano il biglietto del signor Hardman.

«Voglia essere tanto gentile da siglarlo» disse.

L'altro eseguì.

«Non c'è nessuno che possa confermare la sua versione riguardo alla sua identità, immagino, Monsieur Hardman.»

«Su questo treno? Be', direi di no. A meno che non possa farlo il giovane MacQueen. Lo conosco abbastanza bene: l'ho visto nell'ufficio del padre a New York, ma questo non vuol dire che si ricordi di me. No, signor Poirot, dovrà aspettare di poter telegrafare a New York quando smette di nevicare. Ma posso assicurarle che non le racconto una storia. Allora, arrivederci signori. Felice di averla conosciuta, signor Poirot.»

Il piccolo belga gli offrì una sigaretta. «Ma forse preferisce la pipa?»

«No davvero.» Hardman si servì e si allontanò di buon passo.

I tre uomini si guardarono.

«Le sembra sincero?» chiese il dottor Constantine.

«Sì, sì. Conosco il tipo. Inoltre è una storia che si potrebbe smentire molto facilmente.»

«Ci ha reso una testimonianza davvero interessante» disse Monsieur Bouc.

«Proprio così.»

«Un uomo piccolo, scuro, con la voce acuta» disse meditabondo Monsieur Bouc.

«Una descrizione che non si adatta a nessuno su questo treno» osservò Poirot.

Capitolo decimo

La deposizione dell'italiano

«E adesso» disse Poirot con uno scintillio nello sguardo «faremo felice Monsieur Bouc ascoltando l'italiano.»

Antonio Foscarelli entrò nel vagone ristorante con passo rapido e felino. Il suo volto splendeva. Era un tipico volto italiano, abbronzato e solare. Parlava correntemente il francese, con un accento che si avvertiva appena.

«Lei si chiama Antonio Foscarelli?»

«Sì, *monsieur*.»

«A quanto vedo è naturalizzato americano.»

L'uomo sogghignò. «Sì, *monsieur*. Per il mio lavoro è meglio.»

«È rappresentante di automobili Ford?»

«Sì, vede...»

Seguì una prolissa esposizione alla fine della quale quello che i tre uomini non sapevano dei metodi di vendita di Foscarelli, dei suoi viaggi, della sua rendita e della sua opinione sugli Stati Uniti e su molti paesi europei era davvero trascurabile. Non era certo un uomo al quale si dovessero estorcere le informazioni. Scaturivano da lui. Il suo volto benevolo e infantile brillava di gioia mentre, con un ultimo gesto eloquente, si interrompeva e si asciugava la fronte con il fazzoletto.

«Vede quindi» disse «che faccio affari in grande. Mi tengo al passo con i tempi. So che cosa vuol dire vendere!»

«Negli ultimi dieci anni è andato avanti e indietro dagli Stati Uniti?»

«Sì, *monsieur*. Ah, ricordo bene il primo giorno che mi sono imbarcato per l'America, così lontana! Mia madre, la mia sorellina...»

Poirot interruppe quel fiotto di ricordi. «Durante i suoi soggiorni negli Stati Uniti si è mai imbattuto nel defunto?»

«Mai. Ma conosco il tipo. Oh, sì.» Fece schioccare le dita in modo significativo. «Molto rispettabile, molto ben vestito, ma sotto sotto tutto marcio. Con la mia esperienza direi che era un bel mascalzone. Le do la mia opinione, per quello che vale.»

«La sua opinione è del tutto esatta» disse asciutto Poirot. «Ratchett era Cassetti, il rapitore.»

«Che cosa le dicevo? Ho imparato a essere molto acuto, a leggere il volto della gente. È necessario. Solo in America insegnano a vendere come si deve.»

«Si ricorda il caso Armstrong?»

«Non lo ricordo bene. Si trattava di una bambina, non è vero?»

«Sì, una tragedia.»

L'italiano parve il primo a non concordare su questo punto. «Be', sono cose che capitano in una grande civiltà come l'America...» disse filosoficamente.

L'investigatore lo interruppe. «Ha mai incontrato qualche membro della famiglia Armstrong?»

«No, credo di no. È difficile a dirsi. Le darò alcune cifre. Solo l'anno scorso ho venduto...»

«La prego, *monsieur*, resti in argomento.»

Le mani dell'italiano si aprirono in un gesto di scusa. «Chiedo venia.»

«Per cortesia, mi riferisca con precisione i suoi movimenti esatti di ieri sera, dalla cena in poi.»

«Con piacere. Sono rimasto il più a lungo possibile nel vagone ristorante. È divertente. Ho chiacchierato col signore americano al mio tavolo. Vende nastri da macchine per scrivere. Poi sono tornato nel mio scompartimento. Era vuoto. Quel miserabile John Bull che lo divide con me era a servire il suo padrone. Alla fine ritorna: la faccia lunga come al solito. Non vuole chiacchierare: risponde sì, o no. Una razza davvero meschina, gli inglesi, per niente comunicativa. Se ne sta seduto in un angolo, impalato, a leggere un libro. Poi arriva il controllore e ci prepara i letti.»

«I numeri 4 e 5» mormorò Poirot.

«Esattamente: in fondo alla carrozza. La mia è la cuccetta superiore. Salgo là sopra. Fumo e leggo. Credo che l'inglese abbia mal di denti. Tira fuori una bottiglietta di qualcosa che puzza molto. Se ne sta disteso sul letto a gemere. Mi addormento quasi subito. Ogni volta che mi sveglio lo sento gemere.»

«Sa se abbia mai lasciato lo scompartimento durante la notte?»

«Non credo. Me ne sarei accorto, quando entra la luce dal corridoio ci si sveglia in automatico, pensando che sia il controllo doganale a qualche frontiera.»

«Le ha mai parlato del suo padrone? Ha mai manifestato animosità nei suoi confronti?»

«Le dico che non parlava. Non era comunicativo. Muto come un pesce.»

«Ha detto che fuma: pipa, sigarette, sigaro?»

«Solo sigarette.»

Poirot gliene offrì una, che l'italiano accettò.

«È mai stato a Chicago?» chiese Monsieur Bouc.

«Oh sì, una bella città, ma conosco meglio New York, Washington, Detroit. Lei è stato negli Stati Uniti? No? Dovrebbe andarci...»

L'investigatore spinse verso di lui un foglio di carta. «Voglia firmare questo e scrivere il suo indirizzo di residenza, prego.»

L'italiano firmò con un ghirigoro. Poi si alzò, il sorriso accattivante come sempre. «È tutto? Non avete più bisogno di me? Buon giorno a voi, *messieurs*. Vorrei che potessimo rimetterci in moto. Ho un appuntamento a Milano...» Scosse tristemente il capo. «Perderò l'affare.» Si allontanò.

Poirot guardò l'amico.

«È stato a lungo in America» disse Monsieur Bouc «ed è italiano, e gli italiani usano il coltello. E sono dei gran bugiardi. Non mi piacciono proprio gli italiani.»

«*Ça se voit*» disse Poirot con un sorriso. «Ebbene, può darsi che abbia ragione, ma le farò notare che non c'è la minima prova contro quest'uomo, amico mio.»

«E la psicologia? Forse che gli italiani non accoltellano?»

«Senza dubbio» disse Poirot. «Specialmente nel calore di una lite. Ma questo è un tipo di delitto molto diverso. Ho il vago sospetto che sia stato preparato e messo in scena con molta cura, amico mio. È un delitto preparato da tempo. Non è, come dire, un delitto *latino*. È un assassinio che porta le tracce di una mente fredda, decisa e piena di risorse: una mente anglosassone, direi.» Prese l'ultimo passaporto. «E adesso, sentiamo la signorina Mary Debenham.»

Capitolo undicesimo

La deposizione della signorina Debenham

Quando entrò nel vagone ristorante, Mary Debenham confermò l'impressione favorevole che Poirot aveva avuto di lei. Di aspetto molto curato, indossava un completino nero e una camicetta francese grigia; le morbide onde dei suoi capelli bruni erano lisce e ben pettinate, i suoi modi calmi e imperturbabili come la chioma.

Sedette di fronte a Poirot e a Monsieur Bouc e li guardò con espressione interrogativa.

«Lei si chiama Mary Hermione Debenham, e ha ventisei anni?» incominciò Poirot.

«Sì.»

«Inglese?»

«Sì.»

«Vuole essere tanto gentile da scrivere il suo indirizzo di residenza su questo pezzo di carta, *mademoiselle*?»

Lei eseguì. La sua grafia era chiara e leggibile.

«E adesso, *mademoiselle*, che cosa ha da dirci su quanto è accaduto ieri notte?»

«Temo di non avere nulla da dirvi. Sono andata a letto e ho dormito.»

«La turba molto che sia stato commesso un delitto su questo treno, *mademoiselle*?»

Era evidente che non si aspettava quella domanda. Gli occhi grigi si fecero un po' più grandi.

«Non la capisco.»

«È una domanda molto semplice quella che le ho rivolto, *mademoiselle*. Gliela ripeterò. La turba molto che sia stato commesso un delitto su questo treno?»

«Non avevo considerato la situazione da questo punto di vista. No, non posso dire di essere turbata.»

«Un delitto è cosa di tutti i giorni per lei, eh?»

«Naturalmente è sgradevole che sia accaduto» disse Mary Debenham in tono pacato.

«Lei è molto anglosassone, *mademoiselle. Vous n'éprouvez pas d'émotion.*»

La giovane donna sorrise. «Temo di non riuscire ad avere attacchi isterici per dimostrare la mia emotività. Dopotutto, la gente muore ogni giorno.»

«Muore, sì. Ma i delitti sono un po' meno frequenti.»

«Oh, senza dubbio.»

«Non conosceva il defunto?»

«L'ho visto per la prima volta ieri a colazione.»

«E che impressione le ha fatto?»

«L'ho notato appena.»

«Non le ha fatto l'impressione di essere malvagio?»

Lei si strinse leggermente nelle spalle. «Non posso dire di averci pensato.»

Poirot le rivolse uno sguardo penetrante. «Credo che lei consideri con un certo disprezzo il mio modo di condurre l'inchiesta» disse con un luccichio negli occhi. «Un'inchiesta non verrebbe condotta così in Inghilterra, sta pensando. In Inghilterra ci si atterrebbe strettamente ai fatti. Una cosa come si deve, insomma. Ma io ho le mie piccole stravaganze, *mademoiselle*. Prima guardo il testimone, studio il suo carattere, e poi formulo le mie domande. Solo qualche minuto fa, interrogavo un signore pronto a dirmi tutto quello che pensava su qualsiasi argomento. Ebbene, l'ho tenuto ben stretto in carreggiata. Ho voluto che mi rispondesse sì o no, questo o quello. Poi è arrivata lei. Mi sono accorto subito che è ordinata e metodica. Si limiterà a quello di cui si parla. Le sue risposte saranno brevi e in argomento. E poiché la natura umana è perversa, *mademoiselle*, io le faccio domande completamente diverse. Le chiedo quello che *prova*, quello che *pensa*. Questo metodo non le piace?»

«Mi perdoni se glielo dico, ma mi sembra una perdita di tempo. Mi pare alquanto improbabile che sapere se mi piacesse o no la faccia del signor Ratchett possa aiutarla a trovare chi lo ha ucciso.»

«Sa chi era in realtà quell'uomo, Ratchett?»

Lei annuì. «La signora Hubbard lo ha detto a tutti.»

«E che cosa pensa del caso Armstrong?»

«Davvero abominevole» disse vivacemente la ragazza.

Poirot la guardò pensoso. «Lei viene da Baghdad, credo, signorina Debenham.»

«Sì.»

«E va a Londra?»
«Sì.»
«Che cosa faceva a Baghdad?»
«Ero l'istitutrice di due bambini.»
«Riprenderà il suo lavoro dopo le vacanze?»
«Non ne sono certa.»
«Come mai?»
«Baghdad è fuori dal mondo. Credo che preferirei un lavoro a Londra, se riesco a trovarne uno adatto.»
«Capisco. Pensavo che forse si sarebbe sposata.»
La signorina Debenham non rispose. Alzò gli occhi fissando in volto Poirot. Il suo sguardo diceva chiaramente: "Lei è un impertinente."
«Che cosa pensa della signora che divide lo scompartimento con lei, la signorina Ohlsson?»
«Sembra una donna semplice e simpatica.»
«Di che colore è la sua vestaglia?»
Mary Debenham lo fissò stupita. «Più o meno marrone: è di lana grezza.»
«Ah! Mi auguro di poter accennare senza essere indiscreto al fatto che ho notato il colore della sua vestaglia durante il viaggio da Aleppo a Istanbul. Malva pallido, credo.»
«Sì, è esatto.»
«Ha qualche altra vestaglia, *mademoiselle*? Una vestaglia scarlatta, per esempio?»
«No, non è mia.»
Poirot si sporse verso di lei. Sembrava un gatto pronto a balzare sul topo. «Di chi è allora?»
La ragazza si ritrasse un po', trasalendo. «Non lo so. Che cosa intende dire?»

«Lei non ha detto: "No, non ce l'ho", ha detto "Non è mia", intendendo che appartiene in realtà a qualcun altro.»

Lei annuì.

«A qualcun altro su questo treno?»

«Sì.»

«A chi?»

«Gliel'ho appena detto. Non lo so. Stamattina mi sono svegliata verso le cinque con la sensazione che il treno fosse fermo da molto tempo. Ho aperto la porta e ho guardato nel corridoio, pensando che fossimo a una stazione. Ho visto qualcuno con un kimono scarlatto che si allontanava lungo il corridoio.»

«E non sa chi fosse? Era bionda, bruna o grigia?»

«Non saprei. Aveva una cuffia da bagno e le ho visto solo la nuca.»

«E che corporatura aveva?»

«Piuttosto alta e snella, mi sembra, ma è difficile dirlo con certezza. Il kimono aveva dei draghi ricamati.»

«Sì, è esatto, dei draghi.» Poirot tacque per qualche attimo, e mormorò: «Non riesco a capire. Non riesco a capire. Sembra tutto senza senso.» Poi, alzando lo sguardo, disse: «Non devo più trattenerla, *mademoiselle*.»

«Oh!» Lei sembrava piuttosto delusa, ma si alzò in fretta. Sulla soglia, tuttavia, esitò un istante e tornò indietro. «La signora svedese, la signorina Ohlsson, credo, sembra piuttosto preoccupata. A quanto pare, lei le ha detto che è stata l'ultima persona a vedere quell'uomo vivo. Credo che tema perciò di essere sospettata. Non potrei dirle che si sbaglia? Sa, è davvero il genere di persona che non farebbe male a una mosca.» Così dicendo, sorrise.

«Che ora era quando è andata a prendere l'aspirina dalla signora Hubbard?»

«Poco dopo le dieci e mezzo.»

«Quanto si è trattenuta?»

«Circa cinque minuti.»

«È uscita di nuovo dallo scompartimento durante la notte?»

«No.»

Poirot si rivolse al dottore. «Ratchett avrebbe potuto essere ucciso così presto?»

Il medico scosse il capo.

«In tal caso credo che lei possa rassicurare la sua amica, *mademoiselle*.»

«Grazie.» All'improvviso gli sorrise, un sorriso che invitava a essere comprensivi. «È come una pecora, sa. S'innervosisce e bela.» Si voltò e uscì.

CAPITOLO DODICESIMO

LA DEPOSIZIONE DELLA CAMERIERA TEDESCA

Monsieur Bouc guardava incuriosito l'amico. «Non riesco a capirla, *mon vieux*. Che cosa cercava di fare?»

«Cercavo un'incrinatura, amico mio.»

«Un'incrinatura?»

«Sì, nella corazza dell'autocontrollo di una giovane donna. Volevo farle perdere il suo *sang-froid*. Ci sono riuscito? Non lo so. Ma so questo: non si aspettava che affrontassi l'argomento come ho fatto.»

«Sospetta di lei» disse lentamente Monsieur Bouc. «Ma perché? Sembra una signorina molto graziosa, l'ultima persona al mondo che potrebbe essere coinvolta in un delitto come questo.»

«Sono d'accordo» disse Constantine. «È una donna fredda. Non ha emozioni. Non pugnalerebbe un uomo; lo citerebbe in giudizio.»

Poirot sospirò. «Dovete liberarvi entrambi della vostra ossessione che questo sia un delitto estemporaneo e non premeditato. Quanto ai motivi per cui sospetto della signorina Debenham, sono due. Uno è qualcosa che mi è capitato di sentire, e che voi non sapete ancora.» Riferì loro lo strano scambio di frasi da lui udito durante il viaggio da Aleppo.

«È senza dubbio un fatto curioso» disse alla fine Monsieur Bouc. «Esige una spiegazione. Se significa quello che sospetta, ci sono dentro entrambi: la signorina e quell'inglese tutto d'un pezzo.»

L'investigatore annuì.

«Ed è esattamente questo che i fatti sembrano smentire» disse. «Se ci fossero dentro entrambi, capite, che cosa dovremmo aspettarci? Che ognuno di loro offra un alibi all'altro. Non è così? Ma no, questo non accade. L'alibi della signorina Debenham è sostenuto da una svedese che lei non ha mai visto prima, e quello del colonnello Arbuthnot è garantito da MacQueen, il segretario del morto. No, questa soluzione del rompicapo è troppo facile.»

«Ha detto che c'era un altro motivo per sospettarla» gli ricordò Monsieur Bouc.

Poirot sorrise. «Ah! Ma questo è solo psicologico. È possibile che la signorina Debenham abbia progettato il delitto, mi chiedo? Dietro questo assassinio c'è un cervello freddo, intelligente, pieno di risorse, ne sono sicuro. E la signorina Debenham risponde a questi requisiti.»

Monsieur Bouc scosse il capo.

«Credo che lei si sbagli, amico mio. Non riesco a vedere quella ragazza inglese come una criminale.»

«Allora» disse Poirot, prendendo l'ultimo passaporto «passiamo all'ultimo nome della nostra lista. Hildegarde Schmidt, cameriera.»

Convocata dal controllore, Hildegarde Schmidt entrò nel vagone ristorante e rimase rispettosamente in piedi. Poirot le fece cenno di sedere. Lei lo fece, tenendo le mani intrecciate e aspettando con aria serena di essere interrogata. Sembrava una donna tranquilla, molto rispettabile, forse non tanto intelligente.

Il metodo di Poirot con Hildegarde Schmidt fu del tutto differente da quello usato con Mary Debenham. L'investigatore si dimostrò cortese e benevolo, mettendo il più possibile a suo agio la donna. Dopo averle fatto scrivere il nome e l'indirizzo, passò con gentilezza alle domande. L'interrogatorio ebbe luogo in tedesco.

«Vogliamo sapere il più possibile di quanto è accaduto ieri sera» disse. «Sappiamo che non può darci molte informazioni sul delitto, ma potrebbe aver visto o sentito qualcosa che, mentre a lei non dice nulla, a noi potrebbe essere molto utile. Capisce?»

Sembrava di no. Il volto largo e simpatico conservava la sua espressione di placida stupidità, mentre la Schmidt rispondeva: «Non so nulla, *monsieur*.»

«Be', sa per esempio che la sua padrona l'ha fatta chiamare ieri sera.»

«Questo sì.»

«Si ricorda a che ora?»

«No, *monsieur*. Dormivo quando il controllore è venuto a dirmelo.»

«Sì, sì. Le accade spesso di venire chiamata in quel modo?»

«Abbastanza, *monsieur*. La mia signora ha spesso bisogno di me di notte. Non dorme bene.»

«*Eh bien*, è stata chiamata e si è alzata. Ha indossato la vestaglia?»

«No, *monsieur*, ho indossato qualche indumento. Non mi piace presentarmi a Sua Eccellenza in vestaglia.»

«Eppure è una vestaglia molto carina: scarlatta, non è vero?»

Lei lo fissò stupita. «È una vestaglia di flanella blu scuro, *monsieur*.»

«Ah! Continui. È stato soltanto un piccolo scherzo da parte mia. Così è andata da Madame la Princesse. E poi che cosa ha fatto?»

«Le ho fatto un massaggio, *monsieur*, e le ho letto ad alta voce. Non leggo molto bene, ma Sua Eccellenza dice che è meglio così. La fa addormentare meglio. Quando ha incominciato ad avere sonno mi ha detto di andare, perciò ho chiuso il libro e sono tornata nel mio scompartimento.»

«Sa che ora fosse?»

«No, *monsieur*.»

«Allora, quanto è rimasta con Madame la Princesse?»

«Circa mezz'ora, *monsieur*.»

«Bene, continui.»

«Per prima cosa ho preso un'altra coperta nel mio scompartimento, per Sua Eccellenza. Faceva freddo, nonostante il riscaldamento. Le ho sistemato la coperta e lei mi ha augurato la buona notte. Le ho versato un po' di acqua minerale. Poi ho spento la luce e me ne sono andata.»

«E poi?»

«Non c'è altro, *monsieur*. Sono tornata nel mio scompartimento e mi sono addormentata.»

«E non ha incontrato nessuno in corridoio?»

«No, *monsieur*.»

«Non ha visto, per esempio, una signora che indossava un kimono scarlatto con dei draghi ricamati?»

I miti occhi sporgenti della cameriera lo fissarono. «No davvero, *monsieur*. Non c'era nessuno, a parte il controllore. Dormivano tutti.»

«Ma ha visto il controllore?»

«Sì, *monsieur*.»

«Che cosa faceva?»

«Usciva da uno degli scompartimenti, *monsieur*.»

«Che cosa?» Monsieur Bouc si sporse verso di lei. «Quale?»

Hildegarde Schmidt sembrò di nuovo spaventata e Poirot lanciò uno sguardo di rimprovero all'amico.

«Ma certo» disse. «Il controllore deve rispondere spesso a qualche chiamata notturna. Si ricorda che scompartimento fosse?»

«Circa a metà del vagone, *monsieur*. Due o tre porte dopo quello di Madame la Princesse.»

«Ah! La prego, ci dica esattamente dov'era e che cosa è accaduto.»

«Mi è quasi venuto addosso, *monsieur*. È stato mentre tornavo con la coperta dal mio scompartimento a quello della principessa.»

«E lui è uscito dallo scompartimento e l'ha quasi urtata? In che direzione andava?»

«Veniva verso di me, *monsieur*. Si è scusato e ha proseguito verso il vagone ristorante. Un campanello ha incominciato a suonare, ma credo che lui non abbia risposto.» Fece una pausa, poi disse: «Non capisco. Come può...?»

Poirot parlò in tono rassicurante. «È solo la questione dei tempi. Stiamo seguendo la procedura. Quel povero controllore sembra avere avuto una notte agitata: prima ha dovuto svegliare lei e poi rispondere alle chiamate.»

«Non era lo stesso controllore che mi ha svegliato, *monsieur*. Era un altro.»

«Ah, un altro! Lo aveva mai visto prima?»

«No, *monsieur*.»

«Pensa che lo riconoscerebbe se lo vedesse?»

«Credo di sì, *monsieur*.»

Poirot mormorò qualcosa all'orecchio di Monsieur Bouc. Quest'ultimo si alzò e andò alla porta per dare un ordine.

L'investigatore continuò il suo interrogatorio in modo disinvolto e amichevole. «È mai stata in America, Frau Schmidt?»

«Mai, *monsieur*. Deve essere un bel paese.»

«Forse ha sentito dire chi era in realtà l'uomo che è stato assassinato: il responsabile della morte di una bambina.»

«Sì, l'ho sentito, *monsieur*. È stato abominevole, malvagio. Il buon Dio non dovrebbe permettere cose del genere. In Germania non siamo tanto malvagi.»

Gli occhi della donna si erano riempiti di lacrime. La sua anima profondamente materna era commossa.

«È stato un delitto orrendo» disse solennemente Poirot. Tirò fuori dalla tasca un quadratino di batista e glielo porse. «È il suo fazzoletto, Frau Schmidt?»

Seguì un attimo di silenzio, mentre la donna lo esaminava. Dopo qualche minuto, alzò lo sguardo. Era leggermente arrossita. «No davvero. Non è mio, *monsieur.*»

«C'è l'iniziale H, guardi. Per questo ho pensato che fosse suo.»

«Questo è un fazzoletto da signora, *monsieur*. Un fazzoletto molto costoso. Ricamato a mano. Viene da Parigi, direi.»

«Non è suo e non sa di chi sia?»

«Io? Oh no, *monsieur.*»

Dei tre che ascoltavano, solo Poirot colse l'impercettibile esitazione nella sua risposta. Monsieur Bouc gli sussurrò all'orecchio. Il piccolo belga annuì e disse alla donna: «Verranno qui i tre controllori dei vagoni letto. Vorrebbe essere tanto gentile da dirmi quale è quello che ha incontrato ieri notte mentre portava la coperta alla principessa?»

Entrarono i tre uomini: Pierre Michel, poi il controllore alto e biondo della carrozza Atene-Parigi, e infine quello tozzo e robusto della carrozza di Bucarest. Hildegarde Schmidt li guardò e scosse subito il capo.

«No, *monsieur*» disse. «Nessuno di questi è l'uomo che ho visto ieri notte.»

«Ma sono gli unici controllori del treno. Si deve essere sbagliata.»

«Ne sono assolutamente certa, *monsieur*. Questi uomini sono tutti grandi e grossi. Quello che ho visto era piccolo e scuro. Aveva i baffetti. La sua voce, quando ha detto "*pardon*", era flebile come quella di una donna. Lo ricordo benissimo, *monsieur.*»

CAPITOLO TREDICESIMO

RIASSUNTO DELLE DEPOSIZIONI DEI PASSEGGERI

«Un uomo piccolo e scuro con la voce da donna» disse Monsieur Bouc.

Avevano congedato i tre controllori e Hildegarde Schmidt.

Monsieur Bouc fece un gesto disperato. «Ma non ci capisco niente, assolutamente niente! Il nemico del quale parlava questo Ratchett, allora, era sul treno? Ma dov'è adesso? Come può essersi dileguato così? Mi gira la testa. Dica qualcosa, amico mio, la scongiuro. Mi dimostri come l'impossibile possa essere possibile!»

«Questa è una bella frase» disse Poirot. «L'impossibile non può essere accaduto, quindi l'impossibile deve essere possibile malgrado le apparenze.»

«Allora mi spieghi subito che cosa è accaduto in realtà su questo treno ieri notte.»

«Non sono un mago, *mon cher*. Come lei, sono un

uomo molto perplesso. Questa faccenda procede in modo davvero strano.»

«Non procede affatto. Rimane dov'è.»

Poirot scosse il capo. «No, questo non è vero. Abbiamo fatto dei progressi. Sappiamo alcune cose. Abbiamo ascoltato le deposizioni dei passeggeri.»

«E che cosa ci hanno detto? Proprio un bel niente.»

«Non sono d'accordo, amico mio.»

«Forse esagero. L'americano, Hardman, e la cameriera tedesca, loro sì, hanno aggiunto qualcosa a quello che sapevamo. Cioè, hanno reso tutta la faccenda ancora più incomprensibile.»

«Ma no, ma no» lo rincuorò Poirot.

Monsieur Bouc si inalberò. «Parli, allora, sentiamo che cosa ha da dire il saggio Hercule Poirot.»

«Non le ho forse detto di essere, come lei, un uomo molto perplesso? Ma possiamo affrontare il problema. Possiamo sistemare i fatti dei quali siamo in possesso con ordine e metodo.»

«Prego, continui, *monsieur*» disse il dottor Constantine.

L'investigatore si schiarì la gola.

«Esaminiamo il caso come ci appare in questo momento. In primo luogo, ci sono alcuni fatti indiscutibili. Un uomo, Ratchett alias Cassetti, è stato pugnalato dodici volte ed è morto ieri notte. Questo è il fatto numero uno.»

«Glielo concedo, glielo concedo, *mon vieux*» disse Monsieur Bouc con un sorrisetto ironico.

Hercule Poirot non si scompose affatto. Continuò con calma: «Sorvolerò per il momento su alcuni aspetti alquanto inconsueti dei quali il dottor Constantine e io abbiamo già discusso. Ci arriverò subito. Il secondo fatto importante, secondo me, è *l'ora* del delitto.»

«Ecco un'altra delle poche cose che conosciamo» disse Monsieur Bouc. «Il delitto è stato commesso all'una e un quarto di questa mattina. Tutto tende a dimostrare che è così.»

«Non *tutto*. Lei esagera. Vi sono senza dubbio alcune deposizioni a sostegno di questa tesi.»

«Sono lieto che riconosca almeno questo.» Poirot proseguì con calma, senza lasciarsi confondere da quell'interruzione. «Abbiamo davanti a noi tre possibilità.

«La prima: che il delitto sia stato commesso, come dice lei, all'una e un quarto. Questa tesi è sostenuta dalla deposizione della tedesca, Hildegarde Schmidt. Si accorda con la prova del dottor Constantine.

«Seconda possibilità: il delitto è stato commesso più tardi e la prova dell'orologio è deliberatamente falsa.

«Terza possibilità: il delitto è stato commesso prima, e la prova è stata falsificata anche in questo caso.

«Ora, se accettiamo la prima possibilità come la più attendibile e quella sostenuta da maggiori testimonianze, dobbiamo anche accettare alcuni fatti che ne derivano. Tanto per cominciare, se il delitto è stato commesso all'una e un quarto, l'assassino non può aver lasciato il treno, e allora si pone la domanda: dov'è? e *chi* è?

«Esaminiamo con attenzione le deposizioni. Veniamo a sapere per la prima volta dell'esistenza di un uomo, piccolo e scuro, con la voce da donna, da Hardman, il quale afferma che Ratchett gli ha parlato di quest'uomo e lo ha assunto perché lo difendesse da lui. Non c'è nessuna *prova* a sostegno di questa tesi: abbiamo solo la parola dell'americano. Prendiamo quindi in esame il problema: Hardman è davvero chi afferma di essere, un detective che lavora per un'agenzia investigativa di New York?

«Quello che secondo me è molto interessante in questo caso è che non abbiamo nessuna delle possibilità di cui dispone la polizia. Non possiamo controllare la buona fede di nessuna di queste persone. Dobbiamo basarci solo sulla deduzione, e questo rende per me le indagini di gran lunga più interessanti. Non si tratta di seguire una procedura, si tratta di far lavorare il cervello. E io mi chiedo: possiamo accettare quanto dice di sé Hardman? E decido di sì. Sono dell'opinione che *possiamo* accettare quanto Hardman dice di se stesso.»

«Si fida quindi dell'intuito?» chiese il dottor Constantine.

«Niente affatto. Esamino tutte le possibilità. Hardman viaggia con un passaporto falso: questo lo renderà subito sospetto. La prima cosa che farà la polizia quando arriverà in scena sarà di trattenere Hardman e di telegrafare per accertare la verità di quanto ha detto. Per molti passeggeri sarà difficile stabilire se hanno detto la verità. Nella maggior parte dei casi, probabilmente, non lo si tenterà neppure, soprattutto dal momento che sembra non esserci niente di sospetto sul loro conto. Ma il caso di Hardman è semplice. O è la persona che afferma di essere o non lo è. Perciò dico che sarà tutto a posto.»

«Lo assolve da ogni sospetto?»

«Niente affatto. Mi ha frainteso. Per quanto ne so, qualunque investigatore americano avrebbe potuto avere un buon motivo per voler uccidere Ratchett. No, intendo dire che penso di *poter* accettare quanto Hardman afferma di *se stesso*. La storia che ci ha raccontato, di Ratchett che lo cerca e lo assume, non è inverosimile ed è molto probabilmente, anche se non sicuramente, vera. Se l'accettiamo come tale, dobbiamo vedere se troviamo qualche prova che lo sostenga. E la troviamo dove meno ce lo aspettiamo: nella testimonianza di Hildegarde Schmidt. La sua descrizione dell'uomo che ha visto con indosso l'uniforme dei vagoni letto sembra fatta apposta. C'è qualche altra conferma di queste due storie? Sì. C'è il bottone trovato nello scompartimento della signora Hubbard. E a confermarla c'è anche un'altra dichiarazione che forse le è sfuggita.»

«Quale?»

«Tanto il colonnello Arbuthnot quanto Hector MacQueen hanno accennato al fatto che il controllore è passato davanti al loro scompartimento. Non vi hanno dato alcuna importanza, ma *Pierre Michel afferma di non aver mai abbandonato il suo posto* se non in determinate occasioni, in nessuna delle quali avrebbe avuto motivo di arrivare in fondo alla carrozza passando davanti allo scompartimento nel quale sedevano Arbuthnot e MacQueen. Perciò questa storia, la storia di un uomo piccolo e scuro con la voce da donna che indossava l'uniforme da controllore dei vagoni letto, è confermata, direttamente o indirettamente, da quattro testimoni.»

«Solo una cosa» disse il dottor Constantine. «Se la storia di Hildegarde Schmidt è vera, come mai il vero controllore non ha detto di averla vista quando ha risposto alla chiamata della signora Hubbard?»

«Si può spiegare, credo. Quando è arrivato per rispondere alla chiamata della signora Hubbard, la cameriera era nello scompartimento della padrona. Quando finalmente è tornata nel suo scompartimento, il controllore era in quello della signora Hubbard.»

Monsieur Bouc aveva aspettato a fatica che finissero.

«Sì, sì, amico mio» disse con impazienza a Poirot. «Ma sebbene ammiri la sua cautela, il suo sistema di procedere un passo alla volta, ritengo che lei non abbia ancora affrontato il punto principale. Siamo tutti d'accordo che questa persona esiste. Il punto è: *dov'è andata*?»

Poirot scosse il capo con riprovazione.

«Lei è in errore. Ha la tendenza a mettere il carro davanti ai buoi. Prima di chiedermi: "Dov'è scomparso quest'uomo?" mi chiedo: "Quest'uomo esiste davvero?" Perché, vede, se quest'uomo fosse solo un'invenzione, quanto più facile sarebbe farlo scomparire! Perciò cerco di stabilire prima se esiste davvero una persona del genere in carne e ossa.»

«Ed essendo arrivato alla conclusione che esiste, *eh bien*, dov'è adesso?»

«Ci sono solo due risposte a questa domanda, *mon cher*. O è ancora nascosto sul treno tanto abilmente che non riusciamo neppure a immaginare dove, o è, per così dire, *due persone*. Cioè se stesso, l'uomo temuto da Monsieur Ratchett, e un passeggero del treno travestito così bene che Monsieur Ratchett non lo ha riconosciuto.»

«È un'idea» disse Monsieur Bouc, illuminandosi in volto. Si rabbuiò di nuovo. «Ma c'è un'obiezione...»

Poirot gli tolse la parola di bocca. «L'altezza dell'uomo. È questo che intende? A eccezione del cameriere di Monsieur Ratchett, tutti i passeggeri sono alti: l'italiano, il colonnello Arbuthnot, Hector MacQueen, il conte Andrenyi. Così non resta che il cameriere: un'ipotesi poco verosimile. Ma c'è un'altra possibilità. Ricordi la voce "da donna". Questo ci offre molte alternative. L'uomo potrebbe essere travestito da donna, o viceversa, *essere* una donna. Una donna alta e vestita da uomo sembrerebbe piccola.»

«Ma Ratchett avrebbe saputo senza dubbio...»

«Forse *lo sapeva*. Forse questa donna aveva già attentato alla sua vita in abiti maschili per ottenere meglio il proprio scopo. Ratchett potrebbe aver previsto che usasse di nuovo lo stesso trucco, e così ha detto a Hardman di cercare un uomo. Accenna tuttavia a una voce effeminata.»

«È possibile» disse Monsieur Bouc. «Ma...»

«Ascolti, amico mio, credo di doverle parlare ora di alcune contraddizioni notate dal dottor Constantine.» Poirot riferì finalmente le conclusioni alle quali lui e il dottore erano arrivati partendo dalla natura delle ferite del morto. Monsieur Bouc gemette e si prese di nuovo la testa fra le mani. «Capisco» disse Poirot in tono comprensivo. «Capisco esattamente quello che prova. Le gira la testa, non è vero?»

«Mi sembra un incubo!» gridò Monsieur Bouc.

«Proprio così. È assurdo, improbabile, non può essere. Me lo sono detto anch'io. Eppure, amico mio, *è*! Non si può sfuggire ai fatti.»

«È pura follia!»

«Non è vero? È così pazzesco, amico mio, che talvolta sono perseguitato dalla sensazione che in realtà debba essere molto semplice... Ma è solo una delle mie "piccole idee"...»

«Due assassini» gemette Monsieur Bouc. «E sull'Orient Express.» Gli veniva quasi da piangere.

«E per rendere l'incubo ancora più fantastico,» disse Poirot «ieri sera troviamo sul treno due misteriosi stranieri. C'è il controllore dei vagoni letto che risponde alla descrizione dataci da Monsieur Hardman, e che è stato visto da Hildegarde Schmidt, dal colonnello Arbuthnot e da Monsieur MacQueen. E c'è una donna in kimono rosso, una donna alta e snella, vista da Pierre Michel, dalla signorina Debenham, da Monsieur MacQueen e da me stesso, e annusata, per così dire, dal colonnello Arbuthnot! Chi era? Nessuno su questo treno ammette di possedere un kimono scarlatto. È scomparsa anche lei. Si tratta sempre del falso controllore dei vagoni letto? O una persona completamente diversa? E dove sono ora questi due? E, fra parentesi, dove sono l'uniforme da controllore e il kimono scarlatto?»

«Ah, ecco qualcosa di preciso!» Monsieur Bouc balzò impetuosamente in piedi. «Dobbiamo perquisire il bagaglio dei passeggeri. Sì, certo.»

Poirot si alzò a sua volta. «Farò una profezia» disse.

«Sa dove sono?»

«Ho una piccola idea.»

«Dove?»

«Troverete il kimono scarlatto nel bagaglio di uno degli uomini, e l'uniforme da controllore dei vagoni letto nel bagaglio di Hildegarde Schmidt.»

«Hildegarde Schmidt? Pensa...?»

«Non quello che pensa lei. Mettiamola così. Se

Hildegarde Schmidt è colpevole, *potremmo trovare* l'uniforme nel suo bagaglio. Ma *la troveremo di sicuro* se è innocente.»

«Ma come...» incominciò Monsieur Bouc, per interrompersi subito. «Che cos'è questo rumore?» gridò. «Sembra una locomotiva in movimento.»

Il rumore si faceva sempre più vicino. Erano urla acute e proteste di una voce femminile. La porta in fondo al vagone ristorante si spalancò e la signora Hubbard si precipitò dentro.

«È troppo orribile!» gridò. «È davvero troppo orribile. Nel mio beauty-case. Il mio beauty-case. Un coltellaccio... tutto coperto di sangue!»

E, cadendo all'improvviso in avanti, svenne pesantemente sulla spalla di Monsieur Bouc.

Capitolo quattordicesimo

L'arma del delitto

Con più energia che cavalleria, Monsieur Bouc depose la signora svenuta poggiandole la testa sul tavolo. Il dottor Constantine chiamò uno dei camerieri del ristorante, che arrivò di corsa.

«Le tenga la testa così» disse il medico. «Se rinviene le dia un po' di cognac. Capito?»

E si affrettò a seguire gli altri due. Il suo interesse era completamente assorbito dal delitto: signore svenevoli di mezza età non lo interessavano affatto.

È probabile che la signora Hubbard rinvenisse più in fretta con questi metodi di quanto avrebbe fatto altrimenti. Pochi minuti dopo, stava seduta sorseggiando il cognac da un bicchiere offertole dal cameriere, e parlava di nuovo.

«Non so davvero dire quanto sia stato terribile. Credo che nessuno su questo treno possa capire quello che ho provato. Sono sempre stata molto, molto sensibile fin da bambina. La semplice vista del sangue... brr... Perfino adesso mi sento di nuovo male a pensarci.»

Il cameriere le accostò la bottiglia. «*Encore un peu, madame*.»

«Crede che mi faccia bene? Sono sempre stata astemia. Non tocco mai vino o altri alcolici. Tutta la mia famiglia è astemia. Ma forse, dal momento che è solo una medicina...»

Bevve un altro sorso.

Nel frattempo, Poirot e Monsieur Bouc, seguiti a ruota dal dottor Constantine, erano corsi fuori dal vagone ristorante lungo il corridoio della carrozza di Istanbul verso lo scompartimento della signora Hubbard. Sembrava che tutti i viaggiatori del treno si fossero dati appuntamento davanti alla porta. Il controllore, con espressione disperata, cercava di trattenerli.

«*Mais il n'y a rien à voir*» diceva, continuando a ripetere la stessa cosa in diverse lingue.

«Lasciatemi passare, prego» disse Monsieur Bouc. Intrufolando la sua mole tra i passeggeri che si accalcavano, entrò nello scompartimento, con Poirot alle calcagna.

«Sono lieto che sia venuto, *monsieur*» disse il controllore con un sospiro di sollievo. «Hanno cercato tutti di entrare. La signora americana, che strillo ha fatto, *ma foi*! Ho pensato che fosse stata assassinata anche lei! Sono arrivato di corsa e c'era lei che urlava come una pazza, e poi, dicendo che doveva cercarla, è partita gridando più forte che poteva e mettendo al corrente dell'accaduto tutti quelli davanti al cui scompartimento passava.» Con un gesto della mano aggiunse: «È là, *monsieur*. Non l'ho toccato.»

Appeso alla maniglia della porta di comunicazione con lo scompartimento vicino c'era un beauty-case di gomma a scacchi, piuttosto grande. E sul pavimento, proprio dov'era caduto di mano alla signora Hubbard, un pugnale a lama diritta, un oggetto di poco prezzo, finto orientale, con l'impugnatura sbalzata e la lama affilata. La lama era coperta di macchie che sembravano ruggine.

Poirot lo raccolse con delicatezza. «Sì» disse. «Non è possibile sbagliarsi. Ecco l'arma che ci mancava, vero, *docteur*?»

Il medico lo esaminò.

«Non è necessario stare tanto attenti» disse l'investigatore. «Non ci sarà nessuna impronta, a parte quelle della signora Hubbard.»

L'esame del dottor Constantine non durò a lungo. «È l'arma del delitto» dichiarò. «Potrebbe avere inferto ognuna di quelle ferite.»

«Non dica così, amico mio, la scongiuro.»

Il medico sembrò sbalordito.

«Siamo già oppressi dalle coincidenze. Due persone decidono di pugnalare Monsieur Ratchett la notte scorsa. È troppo che ognuna di loro abbia scelto un'arma identica.»

«Quanto a questo, la coincidenza forse non è così grande come sembra» replicò il medico. «Migliaia di questi falsi pugnali orientali vengono venduti nei bazar di Costantinopoli.»

«Mi rincuora un po', ma solo un po'» disse Poirot.

Guardò riflettendo la porta davanti a sé e poi, togliendo il beauty-case, tentò la maniglia. La porta non si mosse. Circa trenta centimetri sopra la maniglia c'era il chiavistello tirato. Poirot lo levò e provò di nuovo, ma la porta rimase ancora chiusa.

«L'abbiamo chiusa dall'altra parte» gli ricordò il medico.

«È vero» disse distratto Poirot. Sembrava pensare qualcos'altro. Aveva la fronte corrugata come se non capisse.

«Concorda, non le pare?» disse Monsieur Bouc. «L'uomo passa in questo scompartimento. Mentre chiude la porta di comunicazione alle sue spalle sente il beauty-case. Gli viene un'idea e si affretta a farvi scivolare il coltello macchiato di sangue. Poi, senza rendersi conto di avere svegliato la signora Hubbard, sguscia in corridoio attraverso la porta esterna.»

«Come dice lei» mormorò Poirot. «Deve essere andata proprio così.» Ma l'espressione perplessa non abbandonava il suo volto.

«Ma che cosa c'è?» chiese Monsieur Bouc. «C'è qualcosa che non la convince, vero?»

Poirot gli scoccò uno sguardo penetrante. «Non colpisce anche lei? No, evidentemente no. Be', è una cosa da poco.»

Il controllore lanciò un'occhiata al corridoio. «Ritorna la signora americana.»

Il dottor Constantine assunse un'espressione colpevole. Sentiva di avere trattato la signora Hubbard con troppa disinvoltura. Ma lei non intendeva rinfacciarglielo. Le sue energie erano concentrate su un altro argomento.

«Devo dire subito una cosa» ansimò quando fu sulla

soglia. «Non intendo restare un minuto di più in questo scompartimento! Cielo, stanotte non ci dormirei per un milione di dollari.»

«*Madame*...»

«So che cosa vuole dire, e la avverto subito che non farò niente del genere! Insomma, preferirei restare seduta tutta la notte in corridoio.» Incominciò a piangere. «Oh, se mia figlia lo sapesse, se potesse vedermi adesso...»

Poirot la interruppe con fermezza. «Ha frainteso, *madame*. La sua pretesa è quanto mai ragionevole. Il suo bagaglio sarà spostato subito in un altro scompartimento.»

La signora Hubbard abbassò il fazzoletto. «È proprio vero? Oh, mi sento già meglio. Ma certo è tutto pieno, a meno che uno dei signori...»

Fu Monsieur Bouc a parlare. «Il suo bagaglio sarà spostato addirittura in un'altra carrozza, *madame*. Avrà uno scompartimento nella carrozza seguente, che è stata agganciata a Belgrado.»

«Santo cielo, è splendido. Non sono una donnicciola nervosa, ma dormire in quello scompartimento porta a porta con un morto...» Rabbrividì. «Mi farebbe impazzire di paura.»

«Michel» chiamò Monsieur Bouc. «Sposti questi bagagli in uno scompartimento vuoto della carrozza Atene-Parigi.»

«Sì, *monsieur*. Lo stesso numero di questo, il 3?»

«No» disse Poirot senza lasciare all'amico il tempo di rispondere. «Credo che per *madame* sarebbe meglio avere un numero completamente diverso. Il 12, per esempio.»

«*Bien, monsieur.*»

Il controllore prese i bagagli. La signora Hubbard si rivolse con gratitudine a Poirot. «È molto gentile da parte sua. Gliene sono grata, davvero.»

«La prego, *madame*. Verremo con lei per vederla ben sistemata.»

La signora Hubbard fu accompagnata dai tre uomini al suo nuovo domicilio. Si guardò intorno felice.

«Bello.»

«Le piace, *madame*? È esattamente come quello che ha lasciato.»

«Proprio così; però è dalla parte opposta del treno. Ma non ha nessuna importanza, perché questi treni cambiano continuamente direzione. Ho detto a mia figlia: "Voglio uno scompartimento vicino alla locomotiva" e lei mi ha detto: "Non ti servirà a niente, mamma, perché andrai a dormire in una direzione e quando ti sveglierai il treno procederà nell'altra." E questo era proprio vero. Cielo, ieri sera siamo entrati a Belgrado in una direzione e ne siamo usciti nell'altra.»

«Adesso, *madame*, è felice e contenta?»

«Be', no, non direi proprio. Siamo qui bloccati dalla neve e nessuno fa niente, e la mia nave parte dopodomani.»

«Ci troviamo tutti nella stessa situazione, *madame*» disse Monsieur Bouc.

«Certo, questo è vero» ammise la signora Hubbard. «Ma nessun altro ha avuto un assassino che gli passeggiava nello scompartimento in piena notte.»

«Quello che non riesco a capire, *madame*,» disse Poirot «è come quell'uomo sia entrato nel suo scompartimento se la porta di comunicazione era chiusa col chiavistello, come lei dice. È proprio certa che *fosse* chiusa?»

«Insomma, la svedese ha controllato proprio sotto i miei occhi.»

«Proviamo a ricostruire la scena. Lei era distesa nella cuccetta, così, e non poteva vedere, dice?»

«No, per via del beauty-case. Oh, Dio, dovrò procurarmene uno nuovo. Guardare questo mi fa venire la nausea.»

Poirot prese il beauty-case e lo appese alla maniglia della porta di comunicazione con lo scompartimento adiacente. «*Précisément*. Vedo» disse. «Il chiavistello è proprio sotto la maniglia e il beauty-case lo nasconde. Da dove eravate distesa non potevate vedere se il chiavistello fosse tirato o no.»

«È proprio quello che le ho detto, santo cielo!»

«E la svedese, la signorina Ohlsson, stava qui, fra lei e la porta. Ha controllato e le ha detto che era chiusa col chiavistello.»

«Proprio così.»

«Tuttavia si sarebbe potuta sbagliare, *madame*. Cerchi di capire che cosa intendo.» Poirot sembrava ansioso di spiegarsi. «Il chiavistello è solo una piccola barra di metallo: questa. Se è tirato verso destra la porta è chiusa, se è a sinistra no. Forse la signorina si è limitata a cercare di aprire la porta, e dal momento che il chiavistello era chiuso dall'altra parte può averne dedotto che lo fosse anche dalla vostra.»

«Be', direi che sarebbe stato piuttosto sciocco da parte sua.»

«Le persone più buone e gentili non sono sempre le più intelligenti, *madame*.»

«Già, certo.»

«A proposito, lei è arrivata a Smirne in treno, *madame*?»

«No. Sono arrivata direttamente a Istanbul per nave, e un amico di mia figlia, il signor Johnson... un uomo davvero incantevole, vorrei che lo avesse conosciuto... è venuto a prendermi e mi ha fatto visitare la città, che ho trovato molto deludente: è in rovina. Quanto alle moschee e al fatto di doversi infilare quella specie di grosse pantofole sopra le scarpe... dov'ero arrivata?»

«Diceva che è venuto a prenderla il signor Johnson.»

«Proprio così, e mi ha accompagnata a bordo di una nave francese per Smirne, dove il marito di mia figlia mi aspettava sul molo. Non so che cosa dirà quando saprà di tutto questo! Mia figlia sosteneva che era il modo più sicuro e più comodo di viaggiare. "Stai seduta nel tuo scompartimento" diceva "e arrivi dritta a Parigi dove ci sarà l'American Express ad aspettarti." E adesso, oh Dio, che cosa posso fare per annullare la mia prenotazione sulla nave? Dovrei avvertirli... E ora non è proprio possibile. È davvero troppo terribile...» La signora Hubbard sembrò di nuovo sull'orlo delle lacrime.

Poirot, che non era riuscito a nascondere del tutto la sua impazienza, colse questa occasione. «Lei ha avuto uno shock, *madame*. Il cameriere del ristorante le porterà del tè e dei biscotti.»

«Non credo che il tè faccia per me» disse la signora Hubbard con voce lacrimosa. «È piuttosto un'abitudine inglese.»

«Caffè, allora, *madame*. Ha bisogno di uno stimolante.»

«Quel cognac mi ha fatto uno strano effetto. In effetti gradirei un po' di caffè, credo.»

«Perfetto. Deve resuscitare le sue energie.»

«Mio Dio, che strana espressione.»

«Ma prima, una piccola questione secondo la procedura, *madame*. Mi permette di perquisire il suo bagaglio?»

«E perché?»

«Incominciamo a perquisire il bagaglio di tutti i passeggeri. Non voglio ricordarle un'esperienza sgradevole, ma il suo beauty-case… Ci pensi.»

«Misericordia! Forse sarà meglio! Non potrei sopportare di avere altre sorprese del genere.»

La perquisizione fu di breve durata. La signora Hubbard viaggiava con un bagaglio minimo: una cappelliera, una valigia a buon mercato, e una borsa da viaggio ben stipata. Il contenuto di tutte e tre era semplice e onesto e la perquisizione non avrebbe richiesto più di qualche minuto se la signora non l'avesse prolungata insistendo perché si dedicasse la dovuta attenzione alle fotografie di "mia figlia" e di due bambini alquanto brutti: «I figli di mia figlia. Non sono adorabili?»

Capitolo quindicesimo

Il bagaglio dei passeggeri

Dopo aver detto alcune garbate bugie, e avere assicurato alla signora Hubbard che avrebbe ordinato di portarle il caffè, Poirot riuscì a prendere congedo accompagnato dai due amici.

«Ebbene, abbiamo incominciato e fatto cilecca» osservò Monsieur Bouc. «A chi tocca adesso?»

«La cosa più semplice sarebbe quella di procedere lungo il treno, scompartimento per scompartimento. Questo significa incominciare dal numero 16: l'amabile Monsieur Hardman.»

Il signor Hardman, che stava fumando un sigaro, li accolse con modi affabili. «Entrate, entrate, signori: se vi è fisicamente possibile, cioè. È un po' strettino qui per un ricevimento.»

Monsieur Bouc spiegò il motivo della loro visita, e il robusto investigatore annuì comprensivo. «Va benissimo. A dire la verità, mi sono stupito che non lo aveste fatto prima. Ecco la mia chiave, signore, e se volete frugarmi anche nelle tasche, siete i benvenuti, perbacco. Volete che tiri giù la valigia?»

«Lo farà il controllore. Michel!»

Il contenuto delle due valigie del signor Hardman venne esaminato in fretta. C'erano forse un po' troppi alcolici.

Hardman strizzò l'occhio. «Non accade spesso che perquisiscano i bagagli alle frontiere: non se si dà una mancia al controllore. Ho sganciato un bel mucchio di banconote turche, e fino a questo momento non ho avuto guai.»

«E a Parigi?»

Il signor Hardman strizzò di nuovo l'occhio. «Quando arriveremo a Parigi» disse «quel che resta di questa piccola provvista entrerà in una bottiglia con l'etichetta "shampoo per capelli."»

«Lei non rispetta il proibizionismo, Monsieur Hardman» disse Monsieur Bouc con un sorriso.

«Be', non posso dire che il proibizionismo mi abbia mai preoccupato molto.»

«Ah!» disse Monsieur Bouc. «Le mescite clandestine, gli *speakeasy*.» Aveva pronunciato lentamente quella parola, assaporandola. «I vostri termini americani sono così strani, così espressivi.»

«A me piacerebbe molto andare in America» intervenne Poirot.

«Imparerebbe qualche sistema spiccio» disse Hardman. «L'Europa ha bisogno di svegliarsi. È mezza addormentata.»

«È vero che l'America è il paese del progresso» convenne Poirot. «Ci sono molte cose che ammiro negli americani. Ma, forse, io sono troppo all'antica, e trovo le donne americane meno attraenti delle mie compatriote. Le ragazze belghe o francesi, civettuole, affascinanti... credo che nessun'altra possa tener loro testa.»

Hardman distolse lo sguardo e fissò la neve per un momento. «Forse ha ragione, Monsieur Poirot» disse. «Ma penso che ogni nazione preferisca le proprie ragazze.» Batté le palpebre come se la neve lo accecasse. «Piuttosto abbagliante, vero?» osservò. «Questa faccenda incomincia a darmi sui nervi, signori. L'assassinio e la neve e tutto il resto, e *niente da fare*. Solo gironzolare e ammazzare il tempo. Mi piacerebbe essere occupato con qualcuno o qualcosa.»

«Il vero spirito di frontiera» disse il piccolo belga con un sorriso.

Il controllore rimise a posto i bagagli e passarono nello scompartimento successivo. Il colonnello Arbuthnot sedeva in un angolo a fumare la pipa e a leggere una rivista. Poirot spiegò il loro compito. Il colonnello non fece difficoltà. Aveva due pesanti valigie di cuoio.

«Il resto del mio bagaglio l'ho spedito per mare» spiegò.

Come la maggior parte dei militari, il colonnello sapeva fare i bagagli. L'esame del suo non richiese che pochi minuti. Poirot notò un pacchetto di nettapipe. «Usa sempre lo stesso tipo?» chiese.

«Di solito. Se riesco a trovarlo.»

«Ah!» Poirot annuì.

Quei nettapipe erano uguali a quello trovato sul pavimento dello scompartimento del delitto. Il dottor

Constantine glielo fece osservare quando uscirono di nuovo in corridoio.

«*Tout de même*» mormorò Poirot «non riesco a crederci. Non è *dans son caractère*, e detto questo è detto tutto.»

La porta dello scompartimento seguente era chiusa. Era quello occupato dalla principessa Dragomiroff. Bussarono e la voce profonda della principessa rispose: «*Entrez.*»

Monsieur Bouc fece da portavoce. Spiegò con molta deferenza quello che stavano facendo.

La principessa lo ascoltò in silenzio, il piccolo volto da rospo assolutamente impassibile. «Se è necessario, *monsieur*» disse pacata quando l'uomo ebbe finito. «Questo è tutto quello che c'è. La mia cameriera ha le chiavi. Vi aiuterà.»

«Le chiavi le tiene sempre la sua cameriera, *madame*?» chiese Poirot.

«Certamente, *monsieur*.»

«E se durante la notte, a una delle frontiere, i funzionari della dogana chiedessero di aprire una valigia?»

La vecchia signora alzò le spalle. «È molto improbabile. Ma in tal caso questo controllore andrebbe a chiamarla.»

«È chiaro, quindi, che si fida di lei, *madame*?»

«Gliel'ho già detto» rispose la principessa. «Non tengo al mio servizio persone delle quali non mi fidi.»

«Già» disse pensoso Poirot. «La fiducia vale davvero qualcosa, di questi tempi. Forse è meglio avere una donna di aspetto modesto di cui ci si può fidare che una cameriera elegante: una brillante parigina, per esempio.»

Gli occhi scuri e intelligenti ruotarono con lentezza

e si fissarono sul volto dell'investigatore. «Che cosa intende dire esattamente, Monsieur Poirot?»

«Niente, *madame*. Io? Niente.»

«Invece sì. Pensa che dovrei avere una cameriera francese a occuparsi della mia toilette, vero?»

«Sarebbe, forse, più consueto, *madame*.»

Lei scosse il capo. «Schmidt mi è fedele.» La sua voce indugiò su quelle parole. «La fedeltà... *c'est impayable*.»

La donna tedesca era arrivata con le chiavi. La principessa le si rivolse nella sua lingua, dicendole di aprire le valigie e di aiutare i signori nella perquisizione. Quanto a lei, rimase in corridoio a guardare la neve e Poirot le tenne compagnia, lasciando a Monsieur Bouc il compito di perquisire il bagaglio.

La signora lo guardò con un sorriso sardonico. «Dunque lei desidera vedere che cosa c'è nelle mie valigie, *monsieur*?»

Lui scosse il capo. «È solo una formalità, *madame*.»

«Ne è così tanto certo?»

«Nel suo caso, sì.»

«Eppure conoscevo e amavo Sonia Armstrong. Che cosa pensa, allora? Che non mi sporcherei le mani uccidendo una *canaille* come quel Cassetti? Ebbene, forse ha ragione.» Tacque per qualche attimo, prima di aggiungere: «Con un uomo come quello, sa che cosa mi sarebbe piaciuto fare? Mi sarebbe piaciuto ordinare ai miei servi: "Frustatelo a morte e gettatelo nel mucchio della spazzatura." Così si faceva quando ero giovane, *monsieur*.»

Poirot continuava a tacere, limitandosi ad ascoltare con attenzione. Lei gli si rivolse all'improvviso con impeto.

«Non dice nulla, Monsieur Poirot. Che cosa pensa, mi chiedo?»

Lui la guardò negli occhi. «Penso che la sua forza sia nella sua volontà, *madame*, non nel suo braccio.»

Lei abbassò lo sguardo sulle braccia esili, ammantate di nero, con quelle mani gialle simili ad artigli con le dita cariche di anelli.

«È vero» disse. «Non ho forza in queste: nessuna. Non so se me ne dispiace, o se ne sono lieta.»

E si volse bruscamente per tornare nel suo scompartimento, dove la cameriera era occupata a rifare i bagagli.

La principessa tagliò corto di fronte alle scuse di Monsieur Bouc. «Non c'è bisogno che si scusi, *monsieur*» disse. «È stato commesso un omicidio. Si devono prendere certi provvedimenti. È tutto qui.»

«*Vous êtes bien aimable, madame.*»

Lei chinò impercettibilmente il capo mentre gli uomini si allontanavano.

Le porte degli altri due scompartimenti erano chiuse. Monsieur Bouc si fermò e si grattò la testa.

«*Diable!*» disse. «Potrebbe essere imbarazzante. Sono passaporti diplomatici. Il loro bagaglio è esente.»

«Dal controllo doganale, sì. Ma un omicidio è una cosa diversa.»

«Lo so. Tuttavia non vogliamo avere complicazioni...»

«Non si preoccupi, amico mio. Il conte e la contessa saranno ragionevoli. Guardi quanto è stata amabile la principessa Dragomiroff.»

«È una vera *grande dame*. Anche questi due sono nella stessa posizione, ma il conte mi ha colpito per la sua aria in un certo senso minacciosa. Non gli è piaciuto che lei abbia insistito per interrogare la moglie. E questo lo irriterà ancora di più. E se li tralasciassimo? Dopotutto, non possono avere niente a che fare con questa faccenda. Perché dovrei procurarmi guai inutili?»

«Non sono d'accordo con lei» disse Poirot. «Il conte Andrenyi sarà ragionevole. Comunque, facciamo un tentativo.»

E senza dare a Monsieur Bouc il tempo di rispondere, bussò alla porta del numero 13.

Una voce rispose dall'interno: «*Entrez.*»

Il conte sedeva vicino alla porta a leggere il giornale. La contessa era raggomitolata nell'angolo opposto, accanto al finestrino. Aveva un cuscino dietro la testa, e sembrava aver dormito.

«*Pardon, monsieur le comte*» cominciò Poirot. «La prego di scusare questa intrusione. Stiamo perquisendo il bagaglio di tutti i passeggeri. Nella maggior parte dei casi è una semplice formalità. Ma si deve fare. Monsieur Bouc dice che, avendo un passaporto diplomatico, potreste giustamente far valere il vostro diritto a venire esonerati dalla perquisizione.»

Il conte rifletté un attimo. «Grazie» disse. «Ma non desidero che si faccia un'eccezione per me. Preferirei che i nostri bagagli venissero perquisiti come quelli di tutti gli altri.» Si rivolse alla moglie. «Non hai niente in contrario, spero, Elena?»

«Assolutamente nulla» rispose la contessa senza esitare.

Seguì una perquisizione rapida e un po' cerimoniosa. Sembrava che Poirot cercasse di mascherare il proprio imbarazzo facendo osservazioni insignificanti, apparentemente senza scopo, quali: «C'è un'etichetta umida sulla sua valigia, *madame*» mentre tirava giù una valigia di pelle blu con le iniziali e uno stemma. La contessa non rispose a questa osservazione. Sembrava alquanto seccata da tutta la faccenda. Stava rannicchiata nel suo angolo, a guardare con espressione sognante fuori dal finestrino mentre gli uomini perquisivano il bagaglio nello scompartimento accanto.

Poirot terminò la perquisizione aprendo l'armadietto sopra il lavabo e lanciando un rapido sguardo al contenuto: una spugna, crema per il viso, cipria e una bottiglietta con l'etichetta "Trional".

Dopo uno scambio di cortesie da entrambe le parti, il piccolo drappello degli inquirenti si ritirò.

Gli scompartimenti successivi erano quelli della signora Hubbard, del morto e di Poirot.

Erano arrivati alla seconda classe. Il primo scompartimento, il numero 10, era occupato da Mary Debenham, che leggeva un libro, e da Greta Ohlsson, che dormiva profondamente ma si svegliò di soprassalto al loro ingresso. Poirot ripeté la sua formula. La svedese sembrava agitata, Mary Debenham calma e indifferente.

L'investigatore si rivolse alla signora svedese. «Se permette, *mademoiselle*, esamineremo per primo il suo bagaglio, e poi sarà forse tanto gentile da andare a vedere come sta la signora americana. L'abbiamo trasferita in uno scompartimento della carrozza seguente, ma è ancora molto sconvolta dalla scoperta fatta. Ho ordinato che le portassero del caffè, ma penso che sia una di quelle persone per le quali una delle prime necessità è avere qualcuno con cui parlare.»

La brava donna comprese immediatamente. Sarebbe andata subito. Doveva essere stata una scossa nervosa terribile, e la povera signora era già sconvolta dal viaggio e per aver lasciato la figlia. Ah, sì, sarebbe andata subito: la sua valigia non era chiusa, e avrebbe portato con sé un po' di sali.

Si allontanò sollecita. Fecero in fretta a perquisire le sue proprietà. Erano ridotte al minimo. Evidentemente non si era ancora accorta della mancanza del sostegno di fil di ferro dalla cappelliera.

La signorina Debenham depose il libro. Osservava Poirot. Quando lui gliele chiese, gli porse le chiavi. Poi, mentre tirava giù una valigia e l'apriva, gli domandò: «Perché l'ha mandata via, Monsieur Poirot?»

«Io, *mademoiselle*? Ma per farle assistere la signora americana.»

«Un ottimo pretesto, ma pur sempre un pretesto.»

«Non la capisco, *mademoiselle*.»

«Credo che mi capisca benissimo.» Sorrise. «Mi voleva da sola, vero?»

«Lei mi fa dire quello che non ho detto, *mademoiselle*.»

«E pensare quello che non aveva pensato? No, non credo. Lo aveva già pensato. Non è così?»

«Noi abbiamo un proverbio, *mademoiselle*...»

«*Qui s'excuse s'accuse*: è questo che voleva dire? Mi deve concedere una certa dose di spirito di osservazione e di buon senso. Per un motivo o per l'altro lei si è proprio messo in testa che io sappia qualcosa di questa sordida vicenda: l'assassinio di un uomo che non avevo mai visto prima.»

«Sta inseguendo una sua fantasia, *mademoiselle*.»

«Non sto inseguendo proprio niente. Ma mi sembra che si perda un sacco di tempo a non dire la verità, a menare il can per l'aia invece di venire subito al punto.»

«E non le piace perdere tempo. No, le piace venire subito al punto. Le piacciono i metodi diretti. *Eh bien,* avrà il metodo diretto. Le chiederò il significato di alcune parole che ho udito per caso durante il viaggio dalla Siria. Ero sceso dal treno per sgranchirmi le gambe alla stazione di Konya. Nella notte mi sono giunte la sua voce, *mademoiselle,* e quella del colonnello. Lei gli ha detto: "Non ora. Non ora. Quando tutto sarà finito. Quando ce lo saremo lasciato alle spalle." Che cosa intendeva con queste parole, *mademoiselle*?»

«Crede che parlassi di un omicidio?» disse lei con calma.

«Lo chiedo a lei, *mademoiselle.*»

La donna sospirò e per un attimo si perse nei suoi pensieri. Poi, quasi ridestandosi, disse: «Quelle parole avevano un significato, *monsieur,* del quale tuttavia non posso parlare. Posso solo darle solennemente la mia parola d'onore di non avere mai messo gli occhi su quel Ratchett in vita mia fino a quando non l'ho visto su questo treno.»

«E rifiuta di spiegare quelle parole?»

«Sì, se la mette così, rifiuto. Avevano a che fare con un compito da me intrapreso.»

«Un compito che ora è finito?»

«Che cosa intende dire?»

«È finito, non è vero?»

«Che cosa glielo fa pensare?»

«Mi ascolti, *mademoiselle,* le ricorderò un altro incidente. Il giorno in cui siamo arrivati a Istanbul il treno era in ritardo. Lei era molto agitata, *mademoiselle*. Lei, così calma, così controllata, era fuori di sé.»

«Non volevo perdere la coincidenza.»

«È quanto ha detto. Ma l'Orient Express parte da Istanbul ogni giorno, *mademoiselle*. Quand'anche avesse perso la coincidenza, si sarebbe trattato solo di un ritardo di ventiquattr'ore.»

Per la prima volta la signorina Debenham parve perdere la pazienza. «Lei sembra non rendersi conto del fatto che si possono avere amici che aspettano a Londra, e un giorno di ritardo sconvolge i piani che si sono fatti e provoca un mucchio di seccature.»

«Ah, è così? Ci sono amici che l'aspettano? Non vuole recare loro disturbo?»

«Naturalmente.»

«Eppure è strano...»

«Che cosa è strano?»

«Anche questo treno è in ritardo. E questa volta un ritardo ben più serio, dal momento che non c'è alcuna possibilità di mandare un telegramma ai suoi amici, o di raggiungerli con una *long... long...*»

«Una *long-distance call*?»

«Già, ma in Inghilterra dite... com'è quella parola composta...?»

«Interurbana» precisò Mary Debenham, sorridendo suo malgrado. «Sì, come dice lei è davvero molto seccante non poter comunicare con nessun mezzo, telefono o telegrafo.»

«E tuttavia, *mademoiselle*, questa volta si comporta in modo molto diverso. Non tradisce più nessuna impazienza. È calma e accetta la cosa con filosofia.»

Mary Debenham arrossì e si morse il labbro. Non sembrava più tanto imperturbabile.

«Non risponde, *mademoiselle*?»

«Mi scusi. Non credevo di dover dare una risposta.»

«Dovrebbe spiegare perché ha cambiato atteggiamento, *mademoiselle*.»

«Non le sembra di fare molto chiasso per nulla, Monsieur Poirot?»

Il piccolo belga allargò le mani in un gesto di scusa. «Forse è un difetto di noi investigatori. Ci aspettiamo che la condotta degli altri sia sempre coerente. Non ci spieghiamo i cambiamenti di umore.»

Mary Debenham non rispose.

«Conosce bene il colonnello Arbuthnot, *mademoiselle*?»

Poirot ebbe l'impressione che si sentisse sollevata dal cambio di argomento.

«L'ho incontrato per la prima volta in questo viaggio.»

«Ha qualche motivo per sospettare che possa aver già conosciuto Ratchett?»

Lei scosse il capo decisa. «Sono certa di no.»

«Perché ne è certa?»

«Per come ne ha parlato.»

«Eppure, *mademoiselle*, abbiamo trovato un nettapipe sul pavimento dello scompartimento del morto. E il colonnello Arbuthnot è l'unico uomo su questo treno a fumare la pipa.»

La osservava attentamente, ma lei non tradì stupore né emozione. Si limitò a dire: «Sciocchezze. È assurdo. Il colonnello Arbuthnot è l'ultimo uomo al mondo che potrebbe essere coinvolto in un delitto, specialmente un delitto teatrale come questo.»

La sua opinione era tanto simile a quella di Poirot che lui si sorprese sul punto di convenirne. Disse invece: «Devo ricordarle che non lo conosce molto bene, *mademoiselle*.»

Lei alzò le spalle. «Conosco abbastanza bene il suo tipo.»

«Continua a rifiutarsi di rivelarmi il significato di quelle parole: "Quando ce lo saremo lasciato alle spalle"» disse dolcemente.

«Non ho altro da aggiungere» rispose lei con freddezza.

«Non importa» disse Hercule Poirot. «Lo scoprirò.»

Si inchinò e uscì dallo scompartimento, chiudendosi la porta alle spalle.

«Le sembra saggio, amico mio?» chiese Monsieur Bouc. «L'ha messa in guardia, e per suo tramite ha messo in guardia anche il colonnello.»

«Se vuole prendere un coniglio, *mon ami*, metta un furetto nella tana, e se il coniglio c'è, scappa. È quello che ho fatto.»

Entrarono nello scompartimento di Hildegarde Schmidt. La donna era in piedi, pronta per l'ispezione, l'atteggiamento rispettoso ma privo di emozione. Poirot lanciò un rapido sguardo al contenuto della valigetta sul sedile. Poi accennò al controllore di tirare giù la valigia più grande dalla reticella.

«Le chiavi?» disse.

«Non è chiusa, *monsieur*.»

Poirot aprì il lucchetto e sollevò il coperchio.

«Ah ah!» esclamò, e rivolgendosi a Monsieur Bouc: «Ricorda quello che le ho detto? Guardi un po' qui!»

Nella valigia c'era un'uniforme marrone da controllore dei vagoni letto piegata alla meglio.

L'espressione impassibile della tedesca subì un improvviso cambiamento.

«*Ach!*» gridò. «Non è mia. Non ce l'ho messa io. Non ho mai aperto la valigia da quando abbiamo lasciato Istanbul. È così, davvero!»

Guardava con aria implorante dall'uno all'altro. Poirot la prese gentilmente sotto braccio e la rincuorò. «No, no, stia tranquilla. Le crediamo. Non si agiti. Sono certo che non ha nascosto l'uniforme come sono certo che è una buona cuoca. Perché lei è una buona cuoca, vero?»

Sbalordita, la donna sorrise suo malgrado. «Proprio così, tutte le mie padrone lo hanno sempre detto. Io...»

Si interruppe, a bocca aperta, di nuovo impaurita.

«No, no» disse Poirot. «Le assicuro che non c'è niente da temere. Ecco, le dirò con precisione come è andata. Quest'uomo, quello che lei ha visto in uniforme da controllore dei vagoni letto, esce dallo scompartimento del morto. Si scontra con lei. È una sfortuna per lui. Aveva sperato che nessuno lo vedesse. Che cosa fare? Deve liberarsi dell'uniforme. Ormai non è più una protezione, ma un pericolo.» Lanciò uno sguardo a Monsieur Bouc e al dottor Constantine, che ascoltavano con attenzione. «C'è la neve, vedete. La neve, che sconvolge tutti i suoi piani. Dove può nascondere questi abiti? Gli scompartimenti sono tutti occupati. No, passa davanti a uno con la porta aperta che gli sembra vuoto. Deve essere quello della donna con la quale si è appena scontrato. Sguscia dentro, si toglie l'uniforme e la infila in fretta in una valigia sulla reticella. Potrebbe passare un po' di tempo prima che venga scoperta.»

«E poi?» chiese Monsieur Bouc.

«Di questo dovremo parlare» disse Poirot, lanciandogli uno sguardo ammonitore. Prese la giacca. Un bottone, il terzo dal basso, mancava. Poirot infilò la mano in una tasca e ne estrasse un passe-partout da controllore, quello usato per aprire le porte di tutti gli scompartimenti.

«Ecco come il nostro uomo è stato in grado di attraversare porte chiuse» esclamò Monsieur Bouc. «Le sue domande alla signora Hubbard erano superflue. Chiusa o no, l'uomo avrebbe potuto passare facilmente dalla porta di comunicazione. Dopotutto, dove c'è un'uniforme da controllore dei vagoni letto, perché non una chiave da controllore dei vagoni letto?»

«Già, perché no?» disse Poirot.

«Avremmo dovuto capirlo. Ricordate? Michel ha detto che la porta sul corridoio dello scompartimento della signora Hubbard era chiusa quando ha risposto alla sua chiamata.»

«È così, *monsieur*» disse il controllore. «Perciò ho pensato che la signora dovesse aver sognato.»

«Ma adesso è facile» continuò Monsieur Bouc. «Senza dubbio l'uomo intendeva chiudere anche la porta di comunicazione, ma forse ha sentito qualche movimento provenire dal letto e si è spaventato.»

«Adesso non ci resta che trovare il kimono scarlatto» disse Poirot.

«Giusto. E questi ultimi due scompartimenti sono occupati da uomini.»

«Cercheremo lo stesso.»

«Oh, ma certo. Inoltre, ricordo quello che lei ha detto.»

Hector MacQueen accettò di buon grado la perquisizione. «Preferisco che la facciate» disse con un mezzo sorriso. «Ho l'impressione di essere decisamente la persona più sospetta su questo treno. Vi manca solo di trovare un testamento nel quale il vecchio mi lascia tutto il suo denaro, e sono sistemato.»

Monsieur Bouc gli lanciò uno sguardo particolarmente sospettoso.

«Stavo solo scherzando» si affrettò a dire MacQueen. «Non mi avrebbe mai lasciato un centesimo, quello. Gli ero solo utile: per le lingue e tutto il resto. Si è spacciati, sa, se non si parla altro che americano. Non sono un esperto poliglotta, ma so come cavarmela nei negozi e negli alberghi in francese, in tedesco e in italiano.»

Parlava con un tono un po' più alto del solito. Era come se si sentisse a disagio per la perquisizione, malgrado la sua acquiescenza.

Poirot emerse dalle sue ricerche. «Nulla» disse. «Neppure un lascito compromettente!»

MacQueen sospirò. «Be', questo mi ha tolto un peso dal cuore» disse in tono scherzoso.

Procedettero verso l'ultimo scompartimento. L'esame del bagaglio dell'omone italiano e del cameriere non dette alcun risultato. I tre uomini si fermarono in fondo alla carrozza, guardandosi.

«E adesso?» chiese Monsieur Bouc.

«Torneremo nel vagone ristorante» disse Poirot. «Sappiamo ormai tutto quello che c'è da sapere. Abbiamo la deposizione dei passeggeri, il risultato della perquisizione dei loro bagagli, la testimonianza dei nostri occhi. Non possiamo aspettarci altri aiuti. Adesso non ci resta che usare il cervello.» Si cercò in tasca il portasigarette. Era vuoto. «Vi raggiungerò subito» disse. «Ho bisogno di sigarette. È una faccenda molto difficile, molto inconsueta. Chi indossava quel kimono scarlatto? E dov'è ora? Vorrei saperlo. C'è qualcosa in questo caso, qualche fattore, che mi sfugge! È difficile perché è stato reso difficile. Ma ne parleremo. Scusatemi un attimo.»

Si affrettò lungo il corridoio verso il suo scompartimento. Sapeva di avere una provvista di sigarette in una valigia. La tirò giù e aprì il lucchetto. Poi si sedette sui talloni e guardò sbalordito.

Nella valigia, ben ripiegato, c'era un leggero kimono di seta scarlatta con dei draghi ricamati.

«Ah» mormorò. «È così, dunque. Una sfida. Benissimo. L'accetto.»

Parte terza

Hercule Poirot riflette

CAPITOLO PRIMO

CHI DI LORO?

Monsieur Bouc e il dottor Constantine stavano parlando tra loro quando Poirot entrò nel vagone ristorante. Monsieur Bouc sembrava depresso.

«*Le voilà*» disse, vedendo Poirot. E mentre l'amico si sedeva aggiunse: «Se lei risolve questo caso, *mon cher*, crederò davvero ai miracoli!»

«Questo caso la preoccupa?»

«Certo che mi preoccupa. Mi sembra senza capo né coda.»

«Sono d'accordo» disse il medico. Guardò Poirot incuriosito. «A essere sincero,» dichiarò «non riesco a immaginare che cosa farà ora.»

«No?» disse pensoso Poirot. Estrasse il portasigarette e si accese una delle sue sigarette sottili. Aveva un'espressione sognante. «Ecco perché mi interessa questo caso. Ci sono precluse tutte le normali procedure. Le persone che abbiamo interrogato ci hanno detto la verità o hanno mentito? Non abbiamo i mezzi per scoprirlo, a parte quelli che riusciremo a escogitare noi stessi. È un vero esercizio per il cervello, questo.»

«È tutto molto bello» disse Monsieur Bouc. «Ma su che cosa si può esercitare il suo cervello?»

«Gliel'ho appena detto. Abbiamo la testimonianza dei passeggeri e quella dei nostri occhi.»

«Una bella testimonianza, quella dei passeggeri! Non ci hanno detto niente.»

Poirot scosse il capo. «Non sono d'accordo con lei, amico mio. La testimonianza dei passeggeri ci ha dato molti spunti interessanti.»

«Davvero» ribatté scettico Monsieur Bouc. «Non l'ho notato.»

«Perché non ha ascoltato.»

«Ebbene, mi dica, che cosa mi è sfuggito?»

«Le farò solo un esempio: la prima deposizione che abbiamo ascoltato, quella del giovane MacQueen. Secondo me ha pronunciato una frase molto significativa.»

«Sulle lettere?»

«No, non sulle lettere. A quanto posso ricordare, le sue parole sono state: "Viaggiavamo qua e là. Il signor Ratchett voleva vedere il mondo. Non conoscere le lingue lo impacciava. Gli facevo più da accompagnatore turistico che da segretario."» Spostò lo sguardo dal volto del medico a quello di Monsieur Bouc. «Come? Non capite ancora? È imperdonabile: perché avete avuto una seconda occasione proprio adesso, quando ha detto: "Si è spacciati se non si parla altro che americano."»

«Nel senso che...?» Monsieur Bouc sembrava ancora perplesso.

«Ah, ma vuole proprio sentirselo dire da me. Ebbene, ecco qua! *Monsieur Ratchett non parlava il francese*. Eppure, quando il controllore ha risposto alla sua chiamata, ieri notte, è stata una voce che parlava in francese a dirgli che era stato un errore e non c'era bisogno di lui. Per di più, era una frase idiomatica perfetta quella che è stata usata, non una che avrebbe pronunciato un uomo che conosceva solo poche parole di francese. *"Ce n'est rien. Je me suis trompé."*»

«È vero!» gridò Constantine, eccitato. «Avremmo dovuto notarlo! Ricordo che lei ha messo l'accento su quelle parole quando ce le ha ripetute. Adesso capisco la sua riluttanza a fidarsi della prova dell'orologio rotto. All'una meno ventitré, Ratchett era già morto...»

«Ed era il suo assassino a parlare!» concluse in tono solenne Monsieur Bouc.

Poirot alzò una mano ammonitrice.

«Non corriamo troppo. E non presumiamo più di quanto sappiamo in realtà. Possiamo dire tranquillamente, credo, che a quell'ora, all'una meno ventitré, *qualcuno* si trovava nello scompartimento di Ratchett e che questa persona era francese, o parlava bene il francese.»

«Lei è molto prudente, *mon vieux*.»

«Si dovrebbe procedere sempre un passo alla volta. Non abbiamo alcuna *prova* che a quell'ora Ratchett fosse morto.»

«C'è stato il grido che l'ha svegliata.»

«Sì, questo è vero.»

«In un certo senso» disse Monsieur Bouc «questa scoperta non cambia molto le cose. Lei ha sentito qualcuno muoversi nello scompartimento accanto al suo. Quel qualcuno non era Ratchett, ma l'altro uomo. Sicuramente si lava il sangue dalle mani, mette ordine dopo il delitto, brucia la lettera che l'avrebbe incriminato. Poi aspetta finché tutto è tranquillo, e quando pensa che non ci sia pericolo e la via sia libera, chiude col chiavistello la porta di Ratchett dall'interno, apre la porta di comunicazione con lo scompartimento della signora Hubbard e sguscia fuori da quella parte. In verità è andata esattamente come credevamo: *con la differenza che Ratchett è stato ucciso circa mezz'ora prima*, e l'orologio spostato all'una e un quarto per crearsi un alibi.»

«Neanche tanto brillante» disse Poirot. «Le lancette dell'orologio indicavano l'una e un quarto: l'ora esatta in cui l'intruso ha lasciato la scena del delitto.»

«Giusto» disse Monsieur Bouc, un po' confuso. «Che cosa le dice, allora, l'orologio?»

«Se le lancette sono state spostate, e sottolineo *se*, l'ora su cui sono state messe *deve* avere un significato. La reazione più naturale sarebbe di sospettare di chiunque abbia un alibi attendibile per quell'ora: l'una e un quarto.»

«Sì, sì» disse il dottore. «Il ragionamento non fa una grinza.»

«Dobbiamo rivolgere l'attenzione anche all'ora in cui l'intruso *è entrato* nello scompartimento. Quando ha avuto l'occasione di farlo? A meno di supporre la complicità del vero controllore, c'è solo un momento in cui avrebbe potuto farlo: quando il treno si è fermato a Vinkovci. Dopo la partenza da Vinkovci, il controllore era seduto guardando il corridoio, e mentre uno qualsiasi dei passeggeri avrebbe prestato poca attenzione a un controllore dei vagoni letto, *l'unica* persona che non avrebbe potuto non notare un impostore sarebbe stato il vero controllore. Ma durante la sosta a Vinkovci, il controllore è sul marciapiede. La via è libera.»

«E, stando a quanto abbiamo dedotto in precedenza, *deve* trattarsi di uno dei passeggeri» disse Monsieur Bouc. «Ritorniamo al punto di prima: chi di loro?»

Poirot sorrise. «Ho fatto una lista» disse. «Se volete vederla, forse vi rinfrescherà la memoria.»

Il dottore e Monsieur Bouc esaminarono insieme la lista. Era scritta in maniera ordinata e metodica, e seguiva l'ordine in cui erano stati interrogati i passeggeri.

Hector MacQueen, cittadino americano, cuccetta n. 6, seconda classe.

Movente: forse connesso ai suoi rapporti con il morto?

Alibi: da mezzanotte alle due. Da mezzanotte all'una e mezzo confermato dal colonnello Arbuthnot e dall'una un quarto alle due confermato dal controllore.

Prove contro di lui: nessuna.

Circostanze sospette: nessuna.

Pierre Michel, controllore, cittadino francese.

Movente: nessuno.

Alibi: da mezzanotte alle due. È stato visto da Hercule Poirot in corridoio mentre una voce parlava dallo scompartimento di Ratchett alle dodici e trentasette. Dall'una all'una e sedici confermato dagli altri due controllori.

Prove contro di lui: nessuna.

Circostanze sospette: l'uniforme da controllore dei vagoni letto è un punto a suo favore perché sembra destinata a gettare i sospetti su di lui.

Edward Masterman, cittadino inglese, cuccetta n. 4, seconda classe.

Movente: forse connesso ai suoi rapporti col morto, del quale era cameriere.

Alibi: da mezzanotte alle due. Confermato da Antonio Foscarelli.

Prove contro di lui o circostanze sospette: nessuna, a parte il fatto che è l'unico uomo della taglia giusta per indossare l'uniforme da controllore dei vagoni letto che è stata ritrovata. D'altra parte, è improbabile che parli bene il francese.

Signora Hubbard, cittadina americana, cuccetta n. 3, prima classe.

Movente: nessuno.

Alibi: da mezzanotte alle due, nessuno.

Prove contro di lei o circostanze sospette: la storia dell'uomo nel suo scompartimento è confermata dalla deposizione di Hardman e da quella della Schmidt.

Greta Ohlsson, cittadina svedese, cuccetta n. 10, seconda classe.

Movente: nessuno.

Alibi: da mezzanotte alle due. Confermato da Mary Debenham.

Nota bene: è stata l'ultima a vedere Ratchett vivo.

Principessa Dragomiroff, naturalizzata cittadina francese, cuccetta n. 14, prima classe.

Movente: era amica intima della famiglia Armstrong, e madrina di Sonia Armstrong.

Alibi: da mezzanotte alle due. Confermato dal controllore e dalla cameriera.

Prove contro di lei o circostanze sospette: nessuna.

Conte Andrenyi, cittadino ungherese, passaporto diplomatico, cuccetta n. 13, prima classe.

Movente: nessuno.

Alibi: da mezzanotte alle due. Confermato dal controllore; non per il periodo dall'una all'una e un quarto.

Contessa Andrenyi, come sopra, cuccetta n. 12.

Movente: nessuno.

Alibi: da mezzanotte alle due. Ha preso il Trional e ha dormito. Confermato dal marito. Bottiglietta di Trional nel suo armadietto.

Colonnello Arbuthnot, cittadino britannico, cuccetta n. 15, prima classe.

Movente: nessuno.

Alibi: da mezzanotte alle due. Ha conversato con MacQueen fino all'una e mezzo. Ritornato nel suo scompartimento non lo ha più lasciato. Confermato da MacQueen e dal controllore.

Prove contro di lui o circostanze sospette: nettapipe.

Cyrus Hardman, cittadino americano, cuccetta n. 16, seconda classe.

Movente: nessuno noto.

Alibi: da mezzanotte alle due. Non ha lasciato il suo scompartimento. Confermato da MacQueen e dal controllore.

Prove contro di lui o circostanze sospette: nessuna.

Antonio Foscarelli, cittadino americano (di origine italiana), cuccetta n. 5, seconda classe.

Movente: nessuno noto.

Alibi: da mezzanotte alle due. Confermato da Edward Masterman.

Prove contro di lui o circostanze sospette: nessuna, a

parte il fatto che l'arma del delitto potrebbe essere considerata adatta al suo carattere (vedi Monsieur Bouc).

Mary Debenham, cittadina britannica, cuccetta n. 11, seconda classe.

Movente: nessuno.

Alibi: da mezzanotte alle due. Confermato da Greta Olhsson.

Prove contro di lei o circostanze sospette: conversazione udita da Hercule Poirot e suo rifiuto di spiegarla.

Hildegarde Schmidt, cittadina tedesca, cuccetta n. 8, seconda classe.

Movente: nessuno.

Alibi: da mezzanotte alle due. Confermato dal controllore e dalla padrona. È andata a letto. È stata svegliata dal controllore alle dodici e trentotto circa ed è andata dalla padrona.

N.B.: le deposizioni dei passeggeri sono supportate dalla dichiarazione del controllore che nessuno è entrato o uscito dallo scompartimento del signor Ratchett fra mezzanotte e l'una (quando lui è entrato nello scompartimento adiacente) e dall'una e un quarto alle due.

«Come vedete» disse Poirot «questo documento è solo un riassunto delle deposizioni che abbiamo udito.»

Monsieur Bouc glielo restituì con una smorfia. «Non getta molta luce sugli avvenimenti» disse.

«Forse questo sarà più di suo gusto» disse Poirot con un sorrisetto, tendendogli un secondo foglio di carta.

CAPITOLO SECONDO

DIECI DOMANDE

Sul foglio si leggeva: FATTI CHE RICHIEDONO UNA SPIEGAZIONE

Il fazzoletto con l'iniziale H. Di chi è?

Il nettapipe. È stato perso dal colonnello Arbuthnot? O da qualcun altro?

Chi indossava il kimono scarlatto?

Chi era l'uomo, o la donna, travestito da controllore dei vagoni letto?

Perché le lancette dell'orologio indicano l'una e un quarto?

Il delitto è stato commesso a quell'ora?

È stato commesso prima?

È stato commesso dopo?

Possiamo essere certi che Ratchett sia stato pugnalato da più di una persona?

Che altra spiegazione potrebbe esserci delle sue ferite?

«Ebbene, vediamo quello che possiamo fare» disse

Monsieur Bouc, illuminandosi un poco davanti a questa sfida al suo intelletto. «Tanto per cominciare, il fazzoletto. Cerchiamo di essere ordinati e metodici.»

«Certamente» disse Poirot, approvando soddisfatto con il capo.

Monsieur Bouc continuò in tono in un certo modo didascalico: «L'iniziale H fa pensare a tre persone: la signora Hubbard, la signorina Debenham, che ha per secondo nome Hermione, e la cameriera Hildegarde Schmidt.»

«Ah! E di queste tre?»

«È difficile a dirsi. Ma *credo* che darei la preferenza alla signorina Debenham. A quanto ne sappiamo, potrebbe farsi chiamare col suo secondo nome e non con il primo. E su di lei c'è già qualche sospetto. La conversazione che lei ha udito, *mon cher*, era senza dubbio un po' strana, e così il suo rifiuto di spiegarla.»

«Quanto a me, voto per l'americana» disse il dottor Constantine. «Questo è un fazzoletto molto costoso, e gli americani, come tutti sappiamo, non badano a spese.»

«Perciò escludete entrambi la cameriera?» chiese Poirot.

«Sì. Come ha detto lei stessa, è un fazzoletto da signora.»

«Passiamo alla seconda domanda: il nettapipe. Lo ha perso il colonnello Arbuthnot, o un altro?»

«Questa è più difficile. Gli inglesi non accoltellano. Su questo ha ragione. Sono propenso a credere che qualcuno abbia lasciato il nettapipe per accusare l'inglese spilungone.»

«Come ha detto anche lei, Monsieur Poirot,» intervenne il medico «*due* indizi dimostrano forse troppa sbadataggine. Sono d'accordo con Monsieur Bouc. Il fazzoletto è stata una svista autentica, quindi nessuno vuole riconoscere che gli appartiene. Il nettapipe è un falso indizio. A sostegno di questa tesi, noterà che il colonnello Arbuthnot non mostra alcun imbarazzo a riconoscere apertamente di fumare la pipa e di usare quel tipo di nettapipe.»

«Il ragionamento non fa una grinza» disse Poirot.

«Terza domanda: chi indossava il kimono scarlatto?» proseguì Monsieur Bouc. «Quanto a questo, confesserò di non averne la minima idea. Ha qualche opinione in proposito, dottor Constantine?»

«Nessuna.»

«In tal caso, su questo punto dobbiamo confessarci sconfitti. La prossima domanda presenta forse qualche possibilità. Chi era l'uomo o la donna travestito da controllore dei vagoni letto? Si possono se non altro nominare una quantità di persone che *non* avrebbero potuto esserlo. Hardman, il colonnello Arbuthnot, Foscarelli, il conte Andrenyi e Hector MacQueen sono tutti troppo alti. La signora Hubbard, Hildegarde Schmidt e Greta Ohlsson sono troppo grosse. Non restano che il cameriere, la signorina Debenham, la principessa Dragomiroff e la contessa Andrenyi: e nessuno tra loro sembra verosimile. Greta Ohlsson da un lato e Antonio Foscarelli dall'altro giurano entrambi che la signorina Debenham e il cameriere non hanno mai lasciato i loro scompartimenti. Hildegarde Schmidt giura che la principessa era nel suo, e il conte Andrenyi ci ha detto che la moglie aveva preso il sonnifero. Sembra quindi che non possa essere stato nessuno: il che è assurdo!»

«Come dice il nostro vecchio amico Euclide» mormorò Poirot.

«Deve essere uno di questi quattro» disse il dottor Constantine. «A meno che non sia qualcuno venuto da fuori che ha trovato un nascondiglio: e siamo tutti d'accordo che ciò è impossibile.»

Monsieur Bouc era passato alla domanda successiva.

«Quinta domanda: perché le lancette dell'orologio rotto indicano l'una e un quarto? Riesco a trovare due spiegazioni per questo. O è stato l'assassino per crearsi un alibi, e poi non gli è stato possibile uscire dallo scompartimento quando intendeva farlo perché ha sentito qualcuno muoversi; oppure, aspettate, mi viene un'idea...» Gli altri due aspettarono rispettosamente che Monsieur Bouc partorisse faticosamente la sua idea. «Ci sono» disse finalmente. «*Non* è stato il controllore dei vagoni letto a manomettere l'orologio! È stato l'individuo che abbiamo chiamato Secondo Assassino: il mancino, in altre parole la donna in kimono scarlatto. È arrivata dopo e ha spostato all'indietro le lancette dell'orologio per crearsi un alibi.»

«Bravo» approvò il dottor Constantine. «È una buona ipotesi.»

«Proprio così» disse Poirot. «Lo ha pugnalato al buio, senza accorgersi che era già morto, ma ha scoperto in qualche modo che aveva un orologio nella tasca del pigiama, lo ha tirato fuori, ha messo indietro le lancette alla cieca e vi ha fatto la tacca indispensabile.»

Monsieur Bouc lo guardò con freddezza. «Ha una spiegazione migliore?» chiese.

«Per il momento, no» confessò Poirot. «Tuttavia»

continuò «credo che nessuno di voi si sia reso conto dell'aspetto più interessante di questo orologio.»

«La sesta domanda ha qualcosa a che fare con questo?» chiese il medico. «Alla domanda: "L'omicidio è stato commesso a quest'ora, l'una e un quarto?" io rispondo: "No".»

«Sono d'accordo con lei» disse Monsieur Bouc. «La domanda seguente è: "Prima?" Io dico di sì. E lei, dottore?»

Il medico annuì. «Sì, ma anche alla domanda: "Dopo?" si può rispondere affermativamente. Condivido la sua teoria, Monsieur Bouc, e così penso faccia Monsieur Poirot, sebbene non voglia compromettersi. Il Primo Assassino è arrivato prima dell'una e un quarto, il Secondo Assassino *dopo* l'una e un quarto. E quanto al fatto che fosse mancino, non dovremmo fare qualcosa per accertare quale dei passeggeri lo è?»

«Non ho trascurato del tutto questo punto» disse Poirot. «Avrete notato che ho fatto scrivere a ogni passeggero una firma o un indirizzo. Non è decisivo, perché certe persone compiono alcune azioni con la destra, e altre con la sinistra. C'è chi scrive con la destra, e gioca a golf con la sinistra. Ma è pur sempre qualcosa. Tutti gli interrogati hanno preso la penna con la destra; a eccezione della principessa Dragomiroff, che si è rifiutata di scrivere.»

«La principessa Dragomiroff? È impossibile!» esclamò Monsieur Bouc.

«Dubito che possa avere avuto la forza di vibrare quel colpo con la mano sinistra» disse il dottor Constantine. «Quella ferita sembra essere stata inflitta con notevole forza.»

«Più di quanta possa averne una donna?»

«No, non direi questo. Ma più di quanta possa averne una donna anziana, credo, e il fisico della principessa Dragomiroff è particolarmente fragile.»

«Potrebbe essere un caso di dominio della mente sul corpo» disse Poirot. «La principessa Dragomiroff ha una fortissima personalità e una gran forza di volontà. Ma per il momento soprassediamo e passiamo oltre.»

«Nona e decima domanda. Possiamo essere certi che Ratchett sia stato pugnalato da più di una persona, e quale altra spiegazione potrebbe esserci di quelle ferite? A parer mio, da un punto di vista medico, non può esserci *nessun'altra spiegazione*. Ritenere che un uomo abbia colpito prima debolmente e poi con violenza, prima con la mano destra e poi con la sinistra, e dopo un intervallo di forse mezz'ora abbia inflitto nuove ferite a un corpo morto... mi sembra senza senso.»

«Sì» disse Poirot. «È senza senso. E crede che due assassini abbiano un senso?»

«Come ha detto lei, quale altra spiegazione può esserci?»

Poirot guardava fisso davanti a sé. «È quello che mi chiedo» disse. «È quello che non ho mai smesso di chiedermi.» Si appoggiò alla spalliera della sedia. «D'ora in poi, è tutto qui.» Si batté la fronte con un dito. «Abbiamo scoperto tutto quello che c'era da scoprire. I fatti sono davanti a noi, sistemati con ordine e metodo. I passeggeri si sono seduti qui, uno dopo l'altro, a fare le loro deposizioni. Sappiamo tutto quello che si può sapere, *dall'esterno*.» Rivolse un sorriso affettuoso a Monsieur Bouc. «Abbiamo sempre scherzato fra noi su questo fatto di sedersi *a pensare*, non è vero? Ebbene, mi accingo a mettere in pratica la mia teoria: qui, sotto i vostri occhi. Voi due dovete fare lo stesso. Chiudiamo tutti e tre gli occhi e *pensiamo*... Uno o più di questi passeggeri ha ucciso Ratchett. *Chi di loro?*»

Capitolo terzo

Alcuni punti che fanno pensare

Passò quasi un quarto d'ora prima che qualcuno parlasse.

Monsieur Bouc e il dottor Constantine avevano incominciato cercando di obbedire alle istruzioni di Poirot. Si erano sforzati di trovare in un labirinto di particolari contraddittori una soluzione chiara e cospicua.

I pensieri di Monsieur Bouc erano stati più o meno i seguenti: "Devo pensare, senza dubbio. Ma ho già pensato... è chiaro che Poirot ritiene la ragazza inglese coinvolta in qualche modo nella vicenda. Non posso fare a meno di avere l'impressione che sia quanto mai improbabile... gli inglesi sono molto freddi. Forse perché fisicamente non... ma non è questo il punto. Pare che l'italiano non possa averlo fatto. Peccato. Immagino che il cameriere inglese non menta quando dice che l'altro non è mai uscito dallo scompartimento. Ma perché dovrebbe? Non è facile corrompere gli inglesi, sono così inavvicinabili. È una vicenda quanto mai disgraziata. Mi chiedo quando ne usciremo. Devono avere organizzato qualche spedizione di soccorso. Sono così lenti in questi paesi... passano ore prima che qualcuno pensi di fare qualcosa. E la polizia di questi paesi... saranno molto difficili da trattare, gonfi di boria, permalosissimi per quanto riguarda la loro dignità. Ingigantiranno il caso. Non hanno spesso un'occasione come questa. Sarà tutto sui giornali..."

E da questo punto i pensieri di Monsieur Bouc seguirono una strada che avevano già percorso almeno un centinaio di volte.

Quelli del dottor Constantine erano i seguenti: "Curioso, questo ometto. È un genio? O un eccentrico? Risolverà questo mistero? Impossibile. Non riesco a vedere nessuna via d'uscita. È tutto troppo fuorviante... forse tutti mentono... ma perfino questo non è di grande aiuto. Il fatto che tutti mentano confonde le idee proprio come se tutti dicessero la verità. C'è qualcosa di strano in quelle ferite. Non riesco a capire... sarebbe più facile capire se gli avessero sparato. Dopotutto, il termine 'pistolero' dovrebbe significare che usano una pistola. Uno strano paese, l'America. Mi piacerebbe andarci. Così progressista. Quanto torno a casa, devo parlare con Demetrius Zagone. Lui è stato in America, ha le idee più moderne... Chissà che cosa fa Tea in questo momento. Se mia moglie scoprisse..."

I suoi pensieri continuarono su argomenti del tutto privati.

Hercule Poirot sedeva perfettamente immobile. Si sarebbe potuto credere che dormisse. Poi, all'improvviso, dopo un quarto d'ora di assoluta immobilità, le sue sopracciglia incominciarono ad alzarsi lentamente. Gli sfuggì un piccolo sospiro.

«Ma dopotutto, perché no?» mormorò a fior di labbra. «E se è così, perbacco, se è così, spiegherebbe tutto.»

Spalancò gli occhi. Erano verdi come quelli di un gatto. «*Eh bien*. Ho pensato. E voi?» chiese a bassa voce.

Immersi nei loro pensieri, i due uomini sobbalzarono.

«Ho pensato anch'io» disse Monsieur Bouc con espressione vagamente colpevole. «Ma non sono arrivato a nessuna conclusione. Trovare la soluzione di un delitto è il suo *métier*, non il mio.»

«Ho riflettuto anch'io con grande impegno» disse senza arrossire il dottor Constantine, richiamando i suoi pensieri da alcuni particolari pornografici. «Ho pensato a molte teorie possibili, ma nessuna mi soddisfa appieno.»

Poirot annuì con aria amabile. Il suo cenno sembrava dire: "Perfetto. È la battuta giusta. Mi avete dato l'imbeccata che aspettavo."

Si rizzò a sedere sulla sedia, gonfiò il torace, si accarezzò i baffi, e parlò come un consumato oratore che si rivolga a un'assemblea pubblica. «Ho passato in rassegna mentalmente tutti i fatti, amici miei, e mi sono ripetuto le deposizioni dei passeggeri. Con questo risultato: vedo, per il momento in maniera ancora nebulosa, una certa spiegazione che darebbe ragione dei fatti così come li conosciamo. È una spiegazione molto curiosa, e non posso ancora essere sicuro che sia quella giusta. Per scoprirlo con assoluta certezza, dovrò fare ancora alcuni esperimenti.

«Per prima cosa vorrei accennare ad alcuni punti che mi sembra facciano pensare. Incominciamo con un'osservazione rivoltami da Monsieur Bouc in questo stesso luogo in occasione della nostra prima colazione insieme. Commentava il fatto che eravamo circondati da persone di ogni classe sociale, di ogni età e di ogni nazionalità. In questa stagione è un fatto piuttosto raro. Le carrozze Atene-Parigi e Bucarest-Parigi, per esempio, sono quasi vuote. E ricordate anche che un passeggero non è si è presentato. Mi sembra significativo. Poi ci sono altri dettagli che mi fanno pensare: la posizione del beauty-case della signora Hubbard, per esempio; il nome della madre della signora Armstrong; i metodi investigativi del signor Hardman; l'ipotesi del signor MacQueen che sia stato lo stesso Ratchett a distruggere il biglietto carbonizzato da noi trovato; il nome di battesimo della principessa Dragomiroff, e una macchia di unto su un passaporto ungherese.»

I due uomini lo fissarono sbalorditi.

«Questi argomenti vi suggeriscono qualcosa?» chiese Poirot.

«Neanche una» rispose onestamente Monsieur Bouc.

«E a *monsieur le docteur*?»

«Non capisco nemmeno di che cosa stia parlando.»

Monsieur Bouc nel frattempo, gettandosi sull'unica cosa concreta della quale avesse parlato l'amico, cercava fra i passaporti. Con un grugnito tirò fuori quello del conte e della contessa Andrenyi e lo aprì.

«È questo che intende? Questa macchia di sporco?»

«Sì. È una macchia di unto piuttosto fresca. Ha notato dove si trova?»

«All'inizio dei dati della moglie del conte: sul suo nome di battesimo, per l'esattezza. Ma le confesso che continuo a non capire.»

«Prenderò in esame la questione da un'altra angolazione. Ritorniamo al fazzoletto trovato sulla scena del delitto. Come abbiamo affermato non molto tempo fa, la lettera H è riconducibile a tre persone: la signora Hubbard, la signorina Debenham e la cameriera, Hildegarde Schmidt. Consideriamo ora questo fazzoletto da un diverso punto di vista. È un fazzoletto molto costoso, amici miei: un *objet de luxe*, ricamato a mano. A parte le iniziali, a quale dei passeggeri è più verosimile appartenga un fazzoletto del genere? Non alla signora Hubbard, una degna signora senza alcuna pretesa di stravagante eleganza nel suo abbigliamento. Non alla signorina Debenham: quel tipo di inglese ha un elegante fazzoletto di lino, ma non un costoso straccetto di battista che costa forse duecento franchi. E certo non alla cameriera. Ma ci sono due donne sul treno alle quali un fazzoletto come quello potrebbe verosimilmente appartenere. Vediamo se possiamo collegare una di loro alla lettera H. Le due donne a cui mi riferisco sono la principessa Dragomiroff...»

«Il cui nome di battesimo è Natalia» intervenne ironico Monsieur Bouc.

«Esatto. E il suo nome di battesimo, come ho appena detto, fa davvero pensare. L'altra è la contessa Andrenyi. Ci colpisce subito il fatto...»

«*La* colpisce!»

«*Mi* colpisce, allora. Il suo nome di battesimo sul passaporto è cancellato da una macchia di unto. Un semplice incidente, direbbe chiunque. Ma riflettete su quel nome di battesimo. Elena. Immaginate che invece di Elena fosse stata Helena. L'iniziale H potrebbe essere stata trasformata facilmente in una E e poi allargata fino a coprire la "e" minuscola che la seguiva: e una macchia di unto potrebbe aver nascosto l'alterazione.»

«Helena!» gridò Monsieur Bouc. «Questa è un'idea.»

«È senza dubbio un'idea. Mi guardo intorno in cerca di una conferma, per quanto debole, della mia idea, e la trovo. Una delle etichette sul bagaglio della contessa è un po' umida. Si dà il caso che sia quella che copre la prima iniziale sulla valigia. Quell'etichetta è stata inumidita per staccarla e rimetterla in un punto diverso.»

«Sta cominciando a convincermi» disse Monsieur Bouc. «Ma senza dubbio la contessa Andrenyi...»

«Ah, *mon vieux*, adesso deve fare dietrofront e considerare il caso da un punto di vista del tutto diverso. Come sarebbe dovuto apparire a chiunque questo delitto? Non dimentichi che la neve ha sconvolto i piani originali dell'assassino. Immaginiamo, per un solo istante, che non ci sia neve, che il treno proceda come di consueto. Che cosa sarebbe accaduto allora?

«Il delitto, diciamo, sarebbe stato scoperto con ogni probabilità alla frontiera italiana questa mattina presto. La maggior parte delle stesse prove sarebbe stata data alla polizia italiana. Monsieur MacQueen avrebbe tirato fuori le lettere minatorie, Monsieur Hardman avrebbe raccontato la sua storia, la signora Hubbard sarebbe stata impaziente di raccontare come un uomo avesse attraversato il suo scompartimento. Si sarebbe ritrovato il bottone. Ritengo che due sole cose sarebbero state diverse. L'uomo avrebbe attraversato lo scompartimento della signora Hubbard poco prima dell'una, e l'uniforme da controllore dei vagoni letto sarebbe stata lasciata in una delle toilette.»

«Vuole dire...»

«Voglio dire che il delitto *sarebbe dovuto sembrare opera di qualcuno che veniva dall'esterno*. Si sarebbe presunto che l'assassino fosse sceso dal treno a Brod, dove si sarebbe dovuti arrivare alle 0.58. Qualcuno probabilmente sarebbe passato accanto a uno strano controllore dei vagoni letto, in corridoio. L'uniforme sarebbe stata lasciata in un luogo evidente per dimostrare quanto più chiaramente possibile com'era stato fatto il trucco. Nessuno avrebbe sospettato dei passeggeri. Così, amici miei, sarebbe dovuto apparire questo caso a un osservatore esterno.

«Ma l'incidente della neve cambia ogni cosa. Senza dubbio è questo il motivo per cui l'uomo è rimasto così a lungo nello scompartimento con la sua vittima. Aspettava che il treno ripartisse. Ma alla fine si è reso conto *che il treno non sarebbe ripartito*. Si sono dovuti fare nuovi piani. Ormai sarebbe stato *chiaro* che l'assassino era ancora sul treno.»

«Sì, sì» disse Monsieur Bouc impaziente. «Capisco benissimo. Ma come c'entra il fazzoletto?»

«Ci ritorno per vie un po' traverse. Tanto per cominciare, dovete rendervi conto che le lettere minatorie erano solo un pretesto. Le potremmo trovare tali e quali in un mediocre romanzo giallo americano. Non sono *autentiche*. In realtà, erano destinate esclusivamente alla polizia. Quello che dobbiamo chiederci è: "Hanno ingannato Ratchett?" A prima vista, la risposta sembrerebbe: "No." Le sue istruzioni a Hardman sembravano alludere a un nemico "privato" ben preciso, della cui identità era perfettamente a conoscenza. Questo se accettiamo come vera la storia di Hardman. Ma senza dubbio Ratchett ricevette almeno *una* lettera di natura molto diversa: quella contenente un riferimento alla piccola Armstrong, un frammento della quale abbiamo trovato nel suo scompartimento. Nell'eventualità che Ratchett non se ne fosse reso conto prima, questa doveva far sì che capisse senza ombra di dubbio il motivo delle minacce alla sua vita. Questa lettera, come ho sempre detto, *non* avrebbe dovuto essere trovata. La prima preoccupazione dell'assassino è stata di distruggerla. E questo quindi è stato il secondo bastone fra le ruote dell'assassino. Il primo è stato la neve, il secondo la nostra ricostruzione di quel frammento.

«Che quel biglietto sia stato distrutto con tanta cura può significare una sola cosa. *Sul treno ci deve essere qualcuno così intimamente legato alla famiglia Armstrong che la scoperta di quel biglietto avrebbe fatto cadere immediatamente i sospetti su di lui.*

«Arriviamo adesso agli altri due indizi che abbiamo trovato. Tralascio il nettapipe. Ne abbiamo già parlato abbastanza. Passiamo al fazzoletto. Stando alle apparenze, è un indizio che incrimina in maniera diretta una persona la cui iniziale è H, ed è stato perso involontariamente da questa persona.»

«Esatto» disse il dottor Constantine. «Si accorge di aver perso il fazzoletto e provvede subito a nascondere il suo nome di battesimo.»

«Come corre. Lei arriva a una conclusione molto prima di quanto mi permetterei di farlo io.»

«C'è qualche alternativa?»

«Senza dubbio. Immagini, per esempio, di aver commesso un delitto e di voler far cadere i sospetti su qualcun altro. Ebbene, c'è su questo treno una certa persona amica intima della famiglia Armstrong: una donna. Immagini, poi, di lasciare là un fazzoletto che appartiene a quella donna. Sarà interrogata, si scopriranno i suoi rapporti con la famiglia Armstrong, *et voilà*. Movente e una prova d'accusa.»

«Ma in tal caso» obiettò il dottore «la persona in questione, essendo innocente, non si preoccuperebbe di nascondere la propria identità.»

«Ah, davvero? È quello che pensa? È senza dubbio quello che penserebbe la polizia. Ma io conosco la natura umana, amico mio, e dico che di fronte alla possibilità di essere accusata all'improvviso di un delitto, la persona più innocente perderebbe la testa e farebbe le cose più assurde. No, no, la macchia di unto e l'etichetta cambiata non sono prove di colpevolezza: dimostrano solo che la contessa Andrenyi è ansiosa per qualche motivo di nascondere la propria identità.»

«Quale pensa che possa essere il suo legame con la famiglia Armstrong? Dice di non essere mai stata in America.»

«Esatto, e parla un pessimo inglese, e ha un aspetto esotico che lei accentua. Ma non dovrebbe essere difficile immaginare chi è. Ho appena accennato al nome della madre della signora Armstrong. Era Linda Arden, ed era una famosissima attrice, fra l'altro un'attrice shakespeariana. Pensate a *Come vi piace*: la foresta di Arden e Rosalinda. È da lì che ha tratto ispirazione per il suo nome di attrice. Linda Arden, il nome con il quale era nota in tutto il mondo, non era il suo vero nome. Avrebbe potuto essere Goldenberg: molto probabilmente aveva nelle vene sangue mitteleuropeo, forse con una goccia di sangue ebreo. Ipotizzo, signori, che la sorellina della signora Armstrong, poco più di una bambina all'epoca della tragedia, fosse Helena Goldenberg, la figlia minore di Linda Arden, e che abbia sposato il conte Andrenyi quando era *attaché* a Washington.»

«Ma la principessa Dragomiroff dice che ha sposato un inglese.»

«Del quale non riesce a ricordare il nome! Ora vi chiedo, amici miei: vi sembra verosimile? La principessa amava Linda Arden come le grandi dame amano i grandi artisti. Era madrina di una delle sue figlie. Avrebbe davvero dimenticato tanto in fretta il nome da sposata dell'altra figlia? Non è verosimile. No, credo di poter tranquillamente affermare che la principessa Dragomiroff mentiva. Sapeva che Helena era su questo treno, l'aveva vista. Si è resa conto subito, non appena saputo chi fosse realmente Ratchett, che sarebbe stata sospettata. E perciò, quando la interroghiamo sulla sorella, si affretta a mentire: si esprime in modo vago, non riesce a ricordare, ma "crede che Helena abbia sposato un inglese". Un suggerimento il più lontano possibile dalla verità.»

Uno dei camerieri del vagone ristorante entrò dalla porta in fondo alla carrozza e si avvicinò loro. Si rivolse a Monsieur Bouc. «Devo servire la cena, *monsieur*? È pronta già da un po'.»

Monsieur Bouc guardò Poirot. L'investigatore annuì. «Faccia servire la cena.»

Il cameriere scomparve attraverso la porta all'altro capo della carrozza. Lo si udì suonare il campanello e annunciare a voce alta: «*Premier service. Le dîner est servi. Premier dîner*: primo turno.»

Capitolo quarto

La macchia di unto su un passaporto ungherese

Poirot sedette a tavola con Monsieur Bouc e il dottore. La compagnia riunita nel vagone ristorante era molto depressa. Parlavano poco. Perfino la loquace signora Hubbard era insolitamente silenziosa. Mentre si sedeva mormorò: «Credo di non avere il coraggio di mandare giù niente» e si servì di tutto quanto le veniva offerto, incoraggiata dalla svedese, che sembrava considerarla una sua assistita.

Prima che venisse servito il pasto, Poirot aveva preso per la manica il capocameriere mormorandogli qualcosa. Constantine credette di capire quali istruzioni gli avesse dato quando notò come il conte e la contessa Andrenyi fossero sempre serviti dopo tutti gli altri, e come alla fine del pasto venisse presentato loro in ritardo il conto. Ne seguì che il conte e la contessa rimasero per ultimi nel vagone ristorante.

Quando finalmente si alzarono e si diressero alla porta, Poirot balzò in piedi e li seguì. «Pardon, *madame*, ha perso il fazzoletto.»

Le tendeva il quadratino con il monogramma.

Lei lo prese, lo guardò e glielo restituì. «Si sbaglia, *monsieur*, non è il mio fazzoletto.»

«Non è il suo fazzoletto? Ne è certa?»

«Assolutamente certa, *monsieur*.»

«Eppure c'è la sua iniziale, *madame*, la lettera H.»

Il conte fece un movimento brusco. Ignorandolo, Poirot fissava in volto la contessa.

Restituendogli con fermezza lo sguardo, lei rispose: «Non capisco, *monsieur*. Le mie iniziali sono E.A.»

«Non credo. Il suo nome è Helena, non Elena. Helena Goldenberg, la figlia minore di Linda Arden. Helena Goldenberg, la sorella della signora Armstrong.»

Seguì per qualche minuto un silenzio di morte. Il conte e la contessa erano impalliditi. In tono più dolce, Poirot disse: «È inutile negare. È la verità, non è così?»

«Le chiedo, *monsieur*, con quale diritto...» esplose il conte infuriato.

La contessa lo interruppe, portando la piccola mano alle labbra di lui. «No, Rudolph. Lasciami parlare. È inutile negare quanto afferma questo signore. Sarebbe meglio sederci e spiegare tutto.»

La sua voce era cambiata. Aveva ancora il ricco tono meridionale, ma si era fatta all'improvviso più chiara, tagliente e incisiva. Per la prima volta, era una voce decisamente americana. Il conte tacque. Obbedì al suo gesto e sedettero entrambi dirimpetto a Poirot.

«La sua affermazione è del tutto esatta, *monsieur*»

disse la contessa. «Sono Helena Goldenberg, la sorella minore della signora Armstrong.»

«Non mi ha messo al corrente di questo fatto stamattina, *madame la comtesse*.»

«No.»

«In realtà, tutto quello che lei e suo marito mi avete detto è stato un tessuto di bugie.»

«*Monsieur!*» gridò il conte furibondo.

«Non andare in collera, Rudolph. Sì, Monsieur Poirot si esprime in maniera un po' brutale, ma quanto dice è innegabile.»

«Sono lieto che lo ammetta spontaneamente, *madame*. Mi dirà ora il motivo per cui lo avete fatto e per cui avete anche cambiato il suo nome di battesimo sul passaporto.»

«Quella è stata esclusivamente opera mia» intervenne il conte.

«Non le sarà difficile, Monsieur Poirot,» disse in tono pacato Helena «indovinare le mie ragioni, le nostre ragioni. L'uomo che è stato ucciso è quello che ha assassinato la mia nipotina, che ha ucciso mia sorella, che ha spezzato il cuore di mio cognato. Tre fra le persone che amavo di più e che rappresentavano la mia famiglia, il mio mondo!» La sua voce ora risuonava appassionata. Era un'autentica figlia di sua madre, di una donna che con la sua arte aveva commosso fino alle lacrime migliaia di spettatori. «Di tutti quelli che si trovano su questo treno» proseguì più calma «io sola avevo probabilmente un ottimo movente per ucciderlo.»

«E non lo ha fatto, *madame*?»

«Le giuro di no, Monsieur Poirot, e mio marito sa, e

giurerà a sua volta, che per quanto sia stata tentata di farlo non ho alzato un dito contro quell'uomo.»

«Le do anch'io la mia parola d'onore, signore,» disse il conte «che la notte scorsa Helena non è mai uscita dal suo scompartimento. Ha preso un sonnifero, proprio come le ho detto. È del tutto innocente.»

Poirot spostò lo sguardo dall'uno all'altra.

«Sul mio onore» ripeté il conte.

Poirot scosse appena il capo. «Eppure si è preso la responsabilità di cambiare il nome sul passaporto?»

«Consideri la mia posizione, Monsieur Poirot.» Il conte parlava con sincerità e passione. «Crede che potessi sopportare il pensiero di mia moglie trascinata in un sordido caso poliziesco? Era innocente, lo sapevo, ma quanto ha detto è vero: a causa del suo legame con la famiglia Armstrong, sarebbe stata subito sospettata. Sarebbe stata interrogata, forse arrestata. Dal momento che la cattiva sorte ci aveva fatto salire sullo stesso treno di quell'uomo, Ratchett, non c'era che una cosa da fare, ne ero certo. Riconosco di averle mentito, *monsieur*: in tutto, cioè, tranne che in una cosa. Mia moglie non è mai uscita dal suo scompartimento, ieri notte.» Aveva parlato con una franchezza che era difficile mettere in dubbio.

«Non dico di non crederle, *monsieur*» disse lentamente Poirot. «So che la sua è una famiglia antica e orgogliosa. Sarebbe davvero una grande amarezza per lei che sua moglie venisse trascinata in uno sgradevole caso poliziesco. La comprendo benissimo. Ma come spiega allora la presenza del fazzoletto di sua moglie nello scompartimento del morto?»

«Quel fazzoletto non è mio, *monsieur*» ripeté la contessa.

«Malgrado l'iniziale?»

«Malgrado l'iniziale. Ho fazzoletti simili a questo, ma nessuno di questo stesso modello. So, naturalmente, di non poter sperare che lei mi creda, ma le assicuro che è così. Quel fazzoletto non è mio.»

«Potrebbe esservi stato messo da qualcuno allo scopo di accusarla?»

Lei sorrise. «Sta cercando di farmi dire che dopotutto è mio? Ma non lo è davvero, Monsieur Poirot.» Aveva parlato con profonda sincerità.

«Perché, allora, se il fazzoletto non è suo, avete cambiato il nome sul passaporto?»

Fu il conte a rispondere. «Perché abbiamo sentito che era stato trovato un fazzoletto con l'iniziale H ricamata. Ne abbiamo parlato insieme prima di essere interrogati. Ho fatto notare a Helena che se si fosse visto che il suo nome incominciava con una H, sarebbe stata subito sottoposta a un interrogatorio più rigoroso. Ed era così semplice... abbiamo fatto in fretta a cambiare Helena in Elena.»

«Lei ha tutti i requisiti per essere uno splendido criminale, *monsieur le comte*» osservò asciutto Poirot. «Un notevole ingegno e una ferma determinazione nell'ingannare la giustizia senza alcun rimorso.»

«Oh, no, no.» La giovane donna si sporse in avanti. «Le ha spiegato come è andata, Monsieur Poirot.» Passò dal francese all'inglese. «Ero terrorizzata, terrorizzata a morte, capisce. Era stato così terribile, quella volta, e dover rivivere tutto... ed essere sospettata e forse gettata in prigione. Ero morta di paura, Monsieur Poirot. Non riesce a capirlo?» La sua voce era profonda, ricca di sfumature, implorante: la voce della figlia della grande Linda Arden.

Poirot la guardò con occhi severi. «Se devo crederle, *madame*, e non dico che *non* le crederò, deve aiutarmi.»

«Aiutarla?»

«Sì. Il movente di questo delitto va cercato nel passato, nella tragedia che distrusse la sua casa e gettò un'ombra di infelicità sulla sua giovane vita. Mi riporti al passato, *mademoiselle*, perché possa trovare l'aggancio che spiegherà tutto.»

«Che cosa potrei dirle? Sono tutti morti» mormorò lei. «Tutti morti, tutti: Robert, Sonia, la cara, piccola Daisy. Era così dolce, così felice, aveva dei ricci tanto belli. Eravamo tutti pazzi di lei.»

«Ci fu un'altra vittima, *madame*. Una vittima indiretta, si potrebbe dire.»

«La povera Susanne? Sì, me n'ero dimenticata. La polizia la interrogò. Erano convinti che avesse qualcosa a che fare con il rapimento. Forse era vero, ma se è così, lo fece senza rendersene conto. Credo che avesse chiacchierato alla leggera con qualcuno, informandolo sugli orari delle uscite di Daisy. La poverina ne fu terribilmente sconvolta: pensava di essere ritenuta responsabile.» Rabbrividì. «Si è gettata dalla finestra. Oh! È stato orribile.» Si nascose il volto fra le mani.

«Di che nazionalità era, *madame*?»

«Francese.»

«Come si chiamava di cognome?»

«È assurdo, ma non riesco a ricordarlo. La chiamavamo tutti Susanne. Una ragazza allegra e carina. Era affezionata a Daisy.»

«Era cameriera nella nursery, vero?»

«Sì.»

«E chi era la bambinaia?»

«Un'infermiera diplomata. Si chiamava Stengelberg. Anche lei era affezionata a Daisy e a mia sorella.»

«E adesso, *madame*, desidero che rifletta bene prima di rispondere alla mia domanda. Dal momento in cui è salita su questo treno, ha visto qualcuno che conosceva?»

La donna lo fissò sbalordita. «Io? No, proprio nessuno.»

«E la principessa Dragomiroff?»

«Oh, lei? La conosco, naturalmente. Credevo intendesse qualcuno... qualcuno di quell'epoca.»

«È quello che intendevo, *madame*. E adesso rifletta bene. Si ricordi che sono passati alcuni anni. Quella persona potrebbe aver cambiato aspetto.»

Helena meditò a lungo. Poi disse: «No, sono sicura di no.»

«Anche lei era una ragazzina a quell'epoca. Non c'era nessuno che sovrintendesse ai suoi studi o si occupasse di lei?»

«Oh, sì, c'era una specie di cerbero, che faceva da istitutrice per me e da segretaria per Sonia. Era inglese, o piuttosto scozzese: una donna imponente con i capelli rossi.»

«Come si chiamava?»

«Signorina Freebody.»

«Vecchia o giovane?»

«A me sembrava spaventosamente vecchia, ma immagino che non potesse avere più di quarant'anni. Susanne si occupava dei miei vestiti e mi faceva da cameriera.»

«E non c'erano altri in casa?»

«Solo domestici.»

«E lei è certa, assolutamente certa, *madame*, di non avere riconosciuto nessuno su questo treno?»

«Nessuno, *monsieur*. Proprio nessuno» rispose Helena con franchezza.

Capitolo quinto

Il nome di battesimo della principessa Dragomiroff

Quando il conte e la contessa se ne furono andati, Poirot guardò gli altri due.

«Come vedete,» disse «facciamo progressi.»

«Ottimo lavoro» approvò in tono cordiale Monsieur Bouc. «Quanto a me, non mi sarei mai sognato di sospettare il conte e la contessa Andrenyi. Confesserò di averli giudicati assolutamente *hors de combat*. Immagino che non ci siano dubbi sulla sua colpevolezza. È piuttosto triste. Ma non la ghigliottineranno. Ci sono circostanze attenuanti. Qualche anno di prigione, ecco tutto.»

«È davvero convinto che la contessa abbia commesso il delitto.»

«Amico mio, non c'è alcun dubbio. Ho pensato che i suoi modi rassicuranti avessero solo lo scopo di appianare le cose finché non ci tireranno fuori dalla neve e non potrà occuparsene la polizia.»

«Non crede dunque a quanto ha affermato recisamente il conte, sul suo onore: che la moglie è innocente?»

«Ma è naturale, *mon cher*, che cos'altro avrebbe *potuto* dire? Adora la moglie. Vuole salvarla. Ha mentito molto bene, proprio come un gran signore, ma come potrebbe non essere una menzogna?»

«Ebbene, ho avuto la netta impressione che potesse essere la verità.»

«No, no. Si ricordi del fazzoletto... Quello chiude la questione.»

«Oh, non sono tanto sicuro del fazzoletto. Vi ho sempre detto che c'erano due possibilità riguardo alla proprietaria di quel fazzoletto.»

«Tuttavia...» Monsieur Bouc si interruppe. La porta in fondo alla carrozza si era aperta, e la principessa Dragomiroff entrò nel vagone ristorante. Venne dritta verso di loro e i tre uomini si alzarono in piedi.

La signora si rivolse a Poirot. «Credo che lei abbia un mio fazzoletto, *monsieur*» disse.

Poirot lanciò uno sguardo di trionfo agli altri due. «È questo, *madame*?» Le mostrò il quadratino di batista.

«È questo. Ha la mia iniziale in un angolo.»

«Ma questa è la lettera H, *madame la princesse*» disse Monsieur Bouc. «Mi scusi, ma il suo nome di battesimo è Natalia.»

Lei lo guardò con freddezza. «È esatto, *monsieur*. I miei fazzoletti hanno sempre l'iniziale in caratteri cirillici. H in russo è N.»

Monsieur Bouc sembrò alquanto mortificato. C'era qualcosa in quella vecchia signora indomabile che lo faceva sentire confuso e a disagio.

«Non ci ha detto che questo fazzoletto le apparteneva durante l'interrogatorio di stamattina.»

«Non me lo avete chiesto» replicò asciutta la principessa.

«La prego, *madame*, si sieda» disse Poirot.

Lei sospirò. «Immagino che tanto valga.» Sedette. «Non è necessario farla lunga, signori. La vostra prossima domanda sarà: come mai il fazzoletto è stato trovato per terra accanto al corpo di un uomo assassinato? La mia risposta è che non ne ho la più pallida idea.»

«Non ne ha davvero la più pallida idea.»

«Nel modo più assoluto.»

«Mi perdoni, *madame*, ma quanto possiamo fidarci della veridicità delle sue risposte?»

Poirot aveva parlato a voce bassissima. La principessa Dragomiroff gli rispose sprezzante.

«Immagino si riferisca al fatto che non le ho detto che Helena Andrenyi era la sorella della signora Armstrong.»

«In effetti ci ha deliberatamente mentito su questo argomento.»

«Certo. Lo farei di nuovo. La madre è una mia amica. Credo nella lealtà verso i propri amici, la propria famiglia e la propria casta.»

«E non crede nella necessità di fare tutto il possibile per promuovere gli scopi della giustizia?»

«In questo caso ritengo che giustizia, autentica giustizia, sia stata fatta.»

Poirot si sporse in avanti. «Cerchi di capire il mio problema, *madame*. Posso crederle, perfino in questa faccenda del fazzoletto? O sta proteggendo la figlia della sua amica?»

«Oh! Capisco che cosa vuole dire.» Il suo volto si aprì in un sorriso sardonico. «Ebbene, la mia affermazione può essere facilmente provata, *monsieur*. Le darò l'indirizzo di chi mi ha fatto il fazzoletto, a Parigi. Non avrà che da mostrare loro questo e le diranno che lo hanno confezionato su mia ordinazione più di un anno fa. Il fazzoletto è mio, *monsieur*.» Si alzò in piedi. «C'è qualche altra cosa che desidera chiedermi?»

«Pensa che la sua cameriera abbia riconosciuto il fazzoletto quando glielo abbiamo mostrato stamattina, *madame*?»

«Deve averlo riconosciuto. Lo ha visto e non ha detto nulla? Ah, bene, questo dimostra che sa essere fedele anche lei.» E con un lieve cenno del capo, uscì dal vagone ristorante.

«Dunque era così» mormorò Poirot. «Ho notato un'impercettibile esitazione quando ho chiesto alla cameriera se sapesse a chi apparteneva il fazzoletto. Non sapeva se riconoscere o no che era della padrona. Ma come si inserisce tutto ciò in quella mia curiosa idea centrale? Sì, potrebbe essere.»

«Ah!» disse Monsieur Bouc. «È una vecchia terribile, quella!»

«Potrebbe avere ucciso Ratchett?» chiese Poirot al dottore.

Lui scosse il capo.

«Quei colpi, quelli inferti con tanta forza da trapassare il muscolo, nessuno con un fisico così fragile avrebbe mai potuto vibrarli, mai.»

«Ma i più deboli?»

«I più deboli, sì.»

«Pensavo» disse Poirot «a quanto è accaduto stamattina, quando le ho detto che la sua forza consisteva nella volontà piuttosto che nel braccio. Si trattava in realtà di una trappola. Volevo vedere se si sarebbe guardata il braccio destro o il sinistro. Se li è guardati entrambi. Ma mi ha dato una strana risposta: "No, non ho forza in questi" ha detto. "Non so se dolermene o rallegrarmene." Una curiosa osservazione. Mi conferma nelle mie convinzioni su questo delitto.»

«Non ha risolto il problema di chi sia mancino.»

«No. Fra parentesi, avete notato che il conte Andrenyi tiene il fazzoletto nel taschino destro?»

Monsieur Bouc scosse il capo. La sua mente ritornò alle rivelazioni sbalorditive dell'ultima mezz'ora. «Bugie, e ancora bugie» mormorò. «Mi sbalordisce la quantità di bugie che ci hanno detto stamattina.»

«Ne scopriremo altre» disse allegro Poirot.

«Lo pensa davvero?»

«Resterei molto deluso se così non fosse.»

«Tanta doppiezza è terribile» disse Monsieur Bouc. «Ma a lei sembra piacere» aggiunse con aria di rimprovero.

«Ha i suoi vantaggi» replicò Poirot. «Se si mette chiunque abbia mentito a confronto con la verità, di solito finisce per ammetterla: spesso per pura sorpresa. Basta fare congetture *corrette* per ottenere questo effetto.

«È l'unico modo di procedere nel nostro caso. Scelgo un passeggero a turno, esamino la sua deposizione e mi dico: "*Se* il tale e il tal altro mentono, su quale punto mentono e *perché*?" E mi rispondo che *se* mentono... *se*, notate bene... può essere solo per un certo motivo e su un certo punto. Lo abbiamo già fatto con successo con la contessa Andrenyi. Continueremo a provare questo metodo su diverse altre persone.»

«E se quanto immagina si rivelasse falso, amico mio?»

«In tal caso almeno una persona sarà completamente libera da ogni sospetto.»

«Ah! Intende procedere per eliminazione.»

«Proprio così.»

«E a chi tocca ora?»

«Tocca al *pukka sahib*, il colonnello Arbuthnot.»

CAPITOLO SESTO

IL COLONNELLO ARBUTHNOT VIENE INTERROGATO PER LA SECONDA VOLTA

Il colonnello Arbuthnot era palesemente irritato di essere stato convocato per la seconda volta nel vagone ristorante. Il suo volto aveva un'espressione quanto mai minacciosa mentre lui si sedeva dicendo: «Ebbene?»

«Mi scuso davvero di disturbarla una seconda volta,» disse Poirot «ma c'è ancora qualche informazione che penso sia in grado di darci.»

«Davvero? Non credo proprio.»

«Tanto per cominciare, vede questo nettapipe?»

«Certo.»

«È suo?»

«Non so. Non ci metto il mio sigillo, sa.»

«Si rende conto, colonnello Arbuthnot, di essere l'unico uomo fra i passeggeri della carrozza Istanbul-Calais a fumare la pipa?»

«In tal caso, probabilmente è mio.»

«Sa dov'è stato trovato?»

«Neanche per sogno.»
«Presso il corpo dell'uomo assassinato.»
Il colonnello Arbuthnot inarcò le sopracciglia.
«Potrebbe dirci, colonnello Arbuthnot, come può essere arrivato là?»
«Se intende chiedermi se l'ho lasciato io, la risposta è no.»
«È mai entrato nello scompartimento del signor Ratchett?»
«Non ho mai rivolto la parola a quell'uomo.»
«Non gli ha mai rivolto la parola e non l'ha assassinato?»
Le sopracciglia del colonnello si sollevarono di nuovo ironicamente. «Se così fosse, mi pare improbabile che io glielo venga a raccontare. Ma si dà il caso che *non abbia* assassinato quel tipo.»
«Ah, bene» mormorò Poirot. «Non ha importanza.»
«Chiedo scusa?»
«Ho detto che non ha importanza.»
«Oh!» Arbuthnot sembrò mortificato. Guardò Poirot a disagio.
«Perché, vede,» continuò l'ometto «il nettapipe non ha alcuna importanza. Posso spiegarne la presenza in molti altri modi soddisfacenti.»
Arbuthnot lo fissò stupito.
«Il motivo per cui volevo parlarle, in realtà, è completamente diverso» proseguì Poirot. «Forse la signorina Debenham le ha detto che ho udito per caso alcune parole che le ha rivolto alla stazione di Konya?»
Arbuthnot non rispose.
«Le ha detto: "Non ora. Quando sarà tutto finito.

Quando ce lo saremo lasciato alle spalle." Sa a che cosa si riferissero quelle parole?»

«Mi dispiace, Monsieur Poirot, ma devo rifiutarmi di rispondere a questa domanda.»

«*Pourquoi?*»

«Le suggerisco» disse freddamente il colonnello «di chiedere alla stessa signorina Debenham il significato di quelle parole.»

«È quello che ho fatto.»

«E si è rifiutata di dirglielo?»

«Sì.»

«In tal caso dovrebbe essere del tutto chiaro, perfino a lei, che le mie labbra sono sigillate.»

«Non tradirà il segreto di una signora?»

«Può metterla così, se preferisce.»

«La signorina Debenham mi ha detto che si riferivano a una sua faccenda privata.»

«Perché non accettare la sua parola?»

«Perché, colonnello Arbuthnot, la signorina Debenham è quella che si potrebbe definire una persona altamente sospetta.»

«Sciocchezze» protestò il colonnello con calore.

«Non sono sciocchezze.»

«Non avete proprio nulla contro di lei.»

«Non il fatto che la signorina Debenham fosse istitutrice e dama di compagnia della famiglia Armstrong all'epoca del rapimento della piccola Daisy Armstrong?» Per un attimo ci fu un silenzio di tomba. Poirot annuì con aria benevola. «Come vede,» disse «sappiamo più di quanto lei pensi. Se la signorina Debenham è innocente, perché ha tenuto nascosto questo fatto? Perché mi ha detto di non essere mai stata in America?»

Il colonnello si schiarì la voce. «Non è possibile che lei si sbagli?»

«Non mi sbaglio affatto. Perché la signorina Debenham mi ha mentito?»

Il colonnello Arbuthnot alzò le spalle. «Farebbe meglio a chiederglielo direttamente. Continuo a pensare che lei si sbagli.»

Poirot alzò la voce e chiamò. Uno dei camerieri del ristorante arrivò dall'altro capo della carrozza.

«Vada a chiedere alla signora inglese del numero 11 se vuole essere tanto gentile da venire qui.»

«*Bien, monsieur.*»

Il cameriere si allontanò. I quattro uomini rimasero seduti in silenzio. Il volto del colonnello Arbuthnot sembrava scolpito nel legno tanto era rigido e impassibile.

Ritornò il cameriere. «La signora viene subito, *monsieur.*»

«Grazie.»

Pochi minuti dopo entrava nel vagone ristorante Mary Debenham.

CAPITOLO SETTIMO

L'IDENTITÀ DI MARY DEBENHAM

Non aveva il cappello. Teneva la testa alta in atteggiamento quasi di sfida. L'onda dei suoi capelli sulla fronte e la curva delle narici facevano pensare alla figura di prua di una nave che fendesse coraggiosamente le onde impetuose. In quel momento era bella. I suoi occhi si rivolsero per un attimo a Arbuthnot: solo per un attimo.

«Vuole parlarmi?» chiese a Poirot.

«Voglio domandarle, *mademoiselle,* perché stamattina ci ha mentito.»

«Mentito? Non so di che cosa parli.»

«Ci ha nascosto il fatto che all'epoca della tragedia Armstrong lei abitava in quella casa. Mi ha detto di non essere mai stata in America.»

La vide vacillare per un attimo e subito riprendersi. «Sì» disse. «È vero.»

«No, *mademoiselle,* era falso.»

«Mi ha frainteso. Intendevo dire: è vero che le ho mentito.»

«Ah, lo riconosce?»

Le sue labbra si curvarono in un sorriso. «Certamente. Dal momento che lo ha scoperto.»

«Quanto meno è sincera, *mademoiselle*.»

«Sembra che non mi resti altro da fare.»

«Be', in effetti è vero. E adesso, *mademoiselle*, posso chiederle perché ci ha nascosto la verità?»

«Credevo che il motivo saltasse agli occhi, Monsieur Poirot.»

«Non salta ai miei, *mademoiselle*.»

«Devo guadagnarmi la vita» disse lei con voce pacata, priva di emozione, con una sfumatura di durezza.

«Vuole dire...?»

La donna lo guardò dritto in volto. «Che cosa sa lei, Monsieur Poirot, della lotta che si conduce per ottenere e mantenere un impiego decente? Crede che una ragazza che è stata fermata perché coinvolta in un caso di omicidio, il cui nome e le cui fotografie sono state stampate sui giornali inglesi... crede che una qualsiasi signora inglese della classe media sarebbe disposta ad assumere questa ragazza come istitutrice della figlia?»

«Non vedo perché no, se non ha alcuna colpa.»

«Oh, colpa! Non si tratta di colpa, ma di pubblicità! Fino a questo momento, Monsieur Poirot, ho avuto successo nella vita. Ho avuto posti di lavoro piacevoli e ben remunerati. Non avrei rischiato la posizione che avevo raggiunto senza un buon motivo per farlo.»

«Mi azzarderò a suggerire, *mademoiselle*, che io sarei stato miglior giudice della cosa.»

Lei alzò le spalle.

«Mi avrebbe potuto aiutare, per esempio, nell'identificazione.»

«Che cosa intende dire?»

«È mai possibile, *mademoiselle*, che non abbia riconosciuto nella contessa Andrenyi la sorella minore della signora Armstrong, di cui lei stessa è stata istitutrice a New York?»

«La contessa Andrenyi? No.» Scosse il capo. «Potrà sembrarle incredibile, ma non l'ho riconosciuta. Era ancora una ragazzina quando stavo con loro. Sono passati più di tre anni. In effetti la contessa mi ricordava qualcuno; mi chiedevo chi. Ha un aspetto così esotico... non l'avrei mai messa in relazione con la scolaretta americana. È vero che l'ho guardata solo superficialmente quando è entrata nel vagone ristorante. Ho notato i suoi abiti più della sua faccia.» Sorrise. «Alle donne capita! E poi, be', avevo i miei pensieri.»

«Non vuole rivelarmi il suo segreto, *mademoiselle*?» La voce di Poirot era dolce e persuasiva.

«Non posso, non posso» disse lei a bassa voce. E a un tratto, senza preavviso, crollò, nascondendo il volto fra le braccia e piangendo come se le si spezzasse il cuore.

Il colonnello balzò in piedi e si fermò impacciato accanto a lei. «Io... guarda un po'...» Si interruppe e, voltandosi, lanciò uno sguardo minaccioso a Poirot. «La farò a pezzi, piccolo, sporco ficcanaso» disse.

«*Monsieur*» protestò Monsieur Bouc.

Arbuthnot si era voltato di nuovo verso la ragazza. «Mary, in nome di Dio...»

Lei balzò in piedi. «Non è nulla. Sto bene. Non ha

più bisogno di me, vero, Monsieur Poirot? Se così fosse, dovrà venire a cercarmi. Oh, che figura da sciocca, che figura da sciocca sto facendo!»

Corse fuori dal vagone. Arbuthnot, prima di seguirla, si voltò di nuovo verso Poirot. «La signorina Debenham non ha niente a che fare con questa faccenda: niente, mi sente bene? E se la importunerà in qualsiasi modo, dovrà fare i conti con me.» E uscì a grandi passi.

«Mi piace vedere gli inglesi arrabbiati» disse Poirot. «Sono molto divertenti. Più sono emozionati, meno controllano il proprio linguaggio.»

Ma Monsieur Bouc non era interessato alle reazioni emotive degli inglesi. Era traboccante di ammirazione per l'amico.

«*Mon cher, vous êtes épatant*» gridò. «Ha indovinato un'altra volta. *C'est formidable.*»

«È incredibile come le vengano in mente certe cose» disse il dottor Constantine con ammirazione.

«Oh, questa volta non rivendico alcun merito. Non ho indovinato. Praticamente me lo ha detto la contessa Andrenyi.»

«*Comment?* Ma no!»

«Si ricorda che le ho chiesto della sua istitutrice, o dama di compagnia? Avevo già deciso che se Mary Debenham era coinvolta nella vicenda, doveva occupare un posto del genere in famiglia.»

«Sì, ma la contessa Andrenyi le ha descritto una persona completamente diversa.»

«Proprio così. Una donna alta, di mezza età, con i capelli rossi: esattamente l'opposto della signorina Debenham, tanto da colpire l'attenzione. Ma poi ha dovuto inventare in fretta un nome, ed è stato qui che un'inconscia associazione di idee l'ha tradita. Ha detto: "Signorina Freebody", se si ricorda.»

«Sì?»

«*Eh bien*, forse non lo sa, ma a Londra c'è un negozio che fino a poco tempo fa si chiamava Debenham and Freebody. Con il nome Debenham in testa, la contessa ne ha cercato in fretta un altro, e il primo che le è venuto in mente è stato Freebody. Naturalmente ho capito subito.»

«Ecco un'altra bugia. Perché mentire?»

«Probabilmente sempre per lealtà. Rende le cose un po' difficili.»

«*Ma foi*» proruppe Monsieur Bouc con veemenza. «Ma dicono tutti bugie su questo treno?»

«È quello che scopriremo» disse Poirot.

CAPITOLO OTTAVO

ALTRE RIVELAZIONI SORPRENDENTI

«Niente mi stupirebbe più ormai» disse Monsieur Bouc. «Niente! Anche se scoprissimo che tutti su questo treno appartengono alla famiglia Armstrong, non mi stupirei.»

«È un'osservazione molto profonda» disse Poirot. «Le piacerebbe sentire che cosa ha da dire a questo proposito il suo favorito, l'italiano?»

«Sta per indovinare di nuovo?»

«Esattamente.»

«È davvero un caso *straordinario*» disse Constantine.

«No, è molto naturale.»

Monsieur Bouc alzò le braccia al cielo in un comico gesto di disperazione. «Se lo chiama naturale, *mon ami*...» Gli mancarono le parole.

Poirot aveva nel frattempo chiesto al cameriere del ristorante di chiamare Antonio Foscarelli. L'omone italiano aveva un'espressione guardinga quando entrò.

Lanciava sguardi apprensivi a destra e a sinistra come un animale braccato.

«Che cosa volete?» chiese. «Insomma, non ho niente da dirvi, niente!» Batté il pugno sul tavolo.

«Invece, lei ha qualche altra cosa da dirci» replicò Poirot con fermezza. «La verità!»

«La verità?» Foscarelli guardò Poirot con un certo disagio. La sicurezza e la cordialità erano scomparse dai suoi modi.

«*Mais oui*. Può darsi che io la conosca già. Ma sarà un punto a suo favore se me la rivelerà spontaneamente.»

«Parla come la polizia americana. "Sputa il rospo" dicono. "Sputa il rospo."»

«Ah! Dunque lei ha avuto a che fare con la polizia di New York?»

«Ma no... Non sono riusciti a provare nulla contro di me, e non perché non ci abbiano tentato.»

«Si trattava del caso Armstrong, vero?» disse in tono pacato Poirot. «Lei era l'autista?»

I suoi occhi affrontarono quelli dell'italiano. L'uomo aveva perso la sua prosopopea. Sembrava un pallone sgonfiato.

«Se lo sa, perché chiederlo?»

«Perché stamattina ha mentito?»

«Per motivi d'affari. E poi non mi fido della polizia iugoslava. Odiano gli italiani. Non mi avrebbero reso giustizia.»

«Forse è proprio *giustizia* quella che le avrebbero reso!»

«No, no, non ho niente a che fare con la faccenda di stanotte. Non sono mai uscito dal mio scompartimento. Quell'inglese con la faccia lunga può dirglielo. Non sono stato io a uccidere quel maiale, quel Ratchett. Non può provare nulla contro di me.»

Poirot scriveva qualcosa su un foglio di carta. Alzò lo sguardo e replicò tranquillo: «Benissimo. Può andare.»

Foscarelli indugiava, a disagio. «Si rende conto che non sono stato io, che non avrei potuto averci niente a che fare?»

«Le ho detto che può andare.»

«È una congiura. Volete incastrarmi? Tutto per un maiale che avrebbe dovuto finire sulla sedia elettrica! È stata un'infamia che non ci sia finito. Se si fosse trattato di me, se fossi stato io a essere arrestato…»

«Ma non è stato lei. Lei non aveva niente a che fare con il rapimento della bambina.»

«Che cosa dice? Perbacco, quella piccolina era la gioia della casa. Tonio, mi chiamava. Si sedeva in macchina e fingeva di tenere il volante. Tutti l'adoravano! Perfino la polizia è arrivata a capirlo. Ah, che bella piccina!» La sua voce si era fatta più dolce. Gli si riempirono gli occhi di lacrime. Girò bruscamente sui tacchi e uscì a grandi passi dal vagone.

«Pietro!» chiamò Poirot.

Il cameriere del vagone ristorante arrivò di corsa.

«Il numero 10, la signora svedese.»

«*Bien, monsieur*.»

«Un'altra?» gridò Monsieur Bouc. «Ah, no, non è possibile. Le dico che non è possibile.»

«Dobbiamo sapere, *mon cher*. A costo di dimostrare che chiunque su questo treno aveva un movente per uccidere Ratchett, dobbiamo sapere. Quando sapremo, potremo decidere di chi è la colpa.»

«Mi gira la testa» gemette Monsieur Bouc.

Greta Olhsson giunse accompagnata dal premuroso cameriere. Piangeva amaramente.

Si lasciò cadere sulla sedia davanti a Poirot e continuò a piangere in un grande fazzoletto.

«Non si angosci, *mademoiselle.* Non si angosci.» Poirot le batté sulla spalla. «Solo poche parole sincere, ecco tutto. Lei era la bambinaia della piccola Daisy Armstrong?»

«Sì, è così» pianse la donna. «Ah, era un angelo, un angioletto dolce e fiducioso. Non conosceva che amore e bontà, ed è stata rapita da quell'uomo malvagio, trattata crudelmente... e la sua povera madre, e l'altro piccolo che non è mai venuto al mondo... Lei non può capire, non può sapere: se ci fosse stato, come me, se avesse visto quella terribile tragedia... Avrei dovuto dirle la verità questa mattina. Ma avevo paura. Ero così contenta che quell'uomo malvagio fosse morto, che non potesse più uccidere e torturare bambini. Ah! Non posso parlare, non ho parole...» Pianse più forte che mai.

Poirot continuava a picchiettarle dolcemente sulla spalla. «Su, su, capisco, capisco tutto, le dico. Non le farò altre domande. Mi basta che abbia ammesso quella che so essere la verità. Capisco, le dico.»

Scossa dai singhiozzi che le impedivano ormai di parlare, Greta Olhsson si alzò e si avviò alla cieca verso la porta. Quando vi giunse si scontrò con un uomo che entrava. Era il cameriere, Masterman.

Andò dritto da Poirot e parlò con la sua solita voce calma e priva di emozione. «Non vorrei intromettermi, signore. Ho pensato che fosse meglio venire subito e dirle la verità. Durante la guerra ero l'attendente del colonnello Armstrong, signore, e poi sono stato suo cameriere a New York. Temo di averlo tenuto nascosto, stamattina. Ho fatto molto male, signore, e ho pensato che fosse meglio venire a togliermi questo peso dallo stomaco. Ma mi auguro che non sospetti in alcun modo di Tonio, signore. Il vecchio Tonio non farebbe male a una mosca. E posso giurarle che non ha mai lasciato lo scompartimento per tutta la notte. Perciò, vede, non può essere stato lui, signore. Tonio può essere uno straniero, signore, ma è una persona buonissima, non come quegli italiani sanguinari dei quali si legge.»

Poirot lo guardò con fermezza. «È tutto quello che ha da dire?»

«È tutto, signore.»

Tacque, e poiché Poirot non parlava fece un piccolo inchino di scuse e, dopo un attimo di esitazione, uscì dal vagone ristorante composto e senza fare rumore come vi era entrato.

«È più incredibile e pazzesco di qualsiasi *roman policier* che io abbia mai letto» disse il dottor Constantine.

«Sono d'accordo con lei» dichiarò Monsieur Bouc. «Dei dodici passeggeri di questa carrozza, nove si sono rivelati coinvolti in qualche modo nel caso Armstrong. Chi sarà il prossimo, mi chiedo?»

«Sono molto vicino a rispondere alla sua domanda» disse Poirot. «Ecco qua il nostro investigatore americano, Monsieur Hardman.»

«Viene anche lui a confessare?»

Prima che Poirot avesse il tempo di rispondere, l'americano era arrivato al loro tavolo. Li fissò con sguardo vigile e, sedendosi, disse lentamente: «Che cosa succede su questo treno, vorrei sapere? Mi sembra un manicomio.»

Poirot gli strizzò l'occhio. «È proprio certo, signor Hardman, di non essere stato giardiniere in casa Armstrong?»

«Non avevano giardino» rispose il signor Hardman.

«O maggiordomo?»

«Non sono abbastanza spocchioso per un posto come quello. No, non ho mai avuto niente a che fare con casa Armstrong, ma incomincio a credere di essere l'unico su questo treno! Le sembra possibile?»

«Non si può negare che ci sia da stupirsi» disse benevolo Poirot.

«*C'est rigolo*» esplose Monsieur Bouc.

«Si è fatto qualche idea su questo delitto, Monsieur Hardman?» chiese Poirot.

«No, signore. Sono spiazzato. Non so come spiegarlo. Non possono essere tutti coinvolti, ma capire quale sia il colpevole è superiore alle mie forze. Come lei sia riuscito a scoprire tutto, vorrei proprio saperlo.»

«Ho tirato a indovinare.»

«In tal caso, mi creda, è un indovino niente male. Sì, lo dico forte, lei è un indovino niente male.» Il signor Hardman si sporse, guardando Poirot ammirato. «Mi scuserà,» disse «ma nessuno lo crederebbe, guardandola. Le faccio tanto di cappello. Davvero.»

«Lei è troppo buono, Monsieur Hardman.»

«Niente affatto. Devo riconoscerglielo.»

«Tuttavia» disse Poirot «il problema non è ancora risolto. Possiamo dire di sapere con certezza chi ha ucciso Monsieur Ratchett?»

«Mi escluda» disse il signor Hardman. «Io non ho proprio nulla da dire. Trabocco soltanto di doverosa ammirazione. E quanto alle due sulle quali non ha fatto alcuna congettura? La vecchia signora americana e la cameriera? Possiamo dare per scontato che siano le uniche innocenti su questo treno, immagino.»

«A meno di non riuscire a farle entrare nella nostra piccola collezione come, diciamo, governante e cuoca di casa Armstrong» replicò Poirot sorridendo.

«Be', niente mi stupirebbe più, ormai» disse il signor Hardman con tranquilla rassegnazione. «Un manicomio, ecco che cos'è quest'affare, un manicomio!»

«Ah, *mon cher*, sarebbe davvero spingere le coincidenze un po' troppo oltre» dichiarò Monsieur Bouc. «Non possono esserci dentro tutti.»

Il piccolo belga lo guardò. «Lei non capisce» disse. «Non capisce affatto. Mi dica, lei sa chi ha ucciso Ratchett?»

«E lei?» replicò Monsieur Bouc.

Poirot annuì. «Oh, sì. Lo so da un po'. È così evidente che mi stupisco non lo abbia capito anche lei.» Guardò Hardman e chiese. «E lei?»

L'investigatore scosse il capo. Guardò Poirot incuriosito. «Non so» rispose. «Non so davvero. Chi è stato?»

Poirot restò per qualche attimo in silenzio. Poi disse: «Voglia essere tanto gentile, Monsieur Hardman, da riunire tutti qui. Ci sono due possibili soluzioni di questo caso. Voglio prospettarle entrambe a tutti voi.»

Capitolo nono

Poirot prospetta due soluzioni

I passeggeri si affollarono nel vagone ristorante e presero posto intorno ai tavoli. Avevano tutti più o meno la stessa espressione di attesa mescolata ad apprensione. La svedese piangeva ancora e la signora Hubbard la consolava.

«Si deve fare forza, mia cara. Andrà tutto benissimo. Non deve perdere l'autocontrollo. Se qualcuno di noi è un assassino, sappiamo benissimo che non è lei. Santo cielo, bisognerebbe essere pazzi a pensare una cosa simile. Sieda qui e io le resterò accanto. Non si preoccupi di nulla.»

La sua voce si spense mentre Poirot si alzava.

Il controllore del vagone letto stava sulla soglia. «Permetta che resti in piedi, *monsieur*.»

«Certamente, Michel.»

Poirot si schiarì la voce. «*Messieurs et mesdames*, parlerò in inglese, poiché ritengo che tutti voi conosciate un po' questa lingua. Siamo qui per indagare sulla morte di Samuel Edward Ratchett, alias Cassetti. Ci sono due possibili soluzioni di questo delitto. Ve le prospetterò entrambe, e chiederò a Monsieur Bouc e al dottor Constantine qui presenti di decidere quale sia quella giusta.

«A questo punto siete tutti a conoscenza dei fatti. Il signor Ratchett è stato trovato pugnalato questa mattina. A quanto si sa, era ancora vivo ieri sera, alle dodici e trentasette, quando ha parlato attraverso la porta al controllore del vagone letto. Nel taschino del suo pigiama è stato trovato un orologio ammaccato fermo all'una e un quarto. Il dottor Constantine, che ha esaminato il corpo, colloca l'ora della morte fra mezzanotte e le due del mattino. A mezzanotte e mezzo, come tutti sapete, siamo incappati in una tempesta di neve. Da quel momento *è stato impossibile per chiunque lasciare il treno*.

«La deposizione del signor Hardman, che lavora per un'agenzia investigativa di New York,» molte teste si volsero a guardare il signor Hardman «dimostra che nessuno sarebbe potuto passare davanti al suo scompartimento, il numero 16, in fondo alla carrozza, senza essere visto da lui. Siamo perciò costretti a concludere che l'assassino deve essere cercato fra gli occupanti di una sola carrozza: quella Istanbul-Calais. Questa, vi dirò, *era* la nostra teoria.»

«*Comment?*» esclamò Monsieur Bouc, sbalordito.

«Ma vi sottoporrò una teoria alternativa. È semplicissima. Il signor Ratchett aveva un nemico che temeva. Ha dato al signor Hardman una descrizione di questo nemico, dicendogli che l'attentato alla sua vita, se mai fosse stato compiuto, lo sarebbe stato con maggior probabilità durante la seconda notte di viaggio.

«Vi faccio notare, signore e signori, che il signor Ratchett sapeva molto più di quanto abbia detto. Il nemico, come lui si aspettava, è salito sul treno *a Belgrado, o forse a Vinkovci*, dallo sportello lasciato aperto dal colonnello Arbuthnot e dal signor MacQueen che erano appena scesi sul marciapiede. Indossava sopra i vestiti un'uniforme da controllore dei vagoni letto, e aveva un passe-partout che gli ha permesso di entrare nello scompartimento del signor Ratchett sebbene la porta fosse chiusa dall'interno. Il signor Ratchett era sotto l'effetto di un sonnifero. Quest'uomo lo ha pugnalato con grande ferocia ed è uscito dallo scompartimento attraverso la porta di comunicazione con lo scompartimento della signora Hubbard...»

«Proprio così» disse la signora Hubbard, annuendo con energia.

«Ha infilato il pugnale nel beauty-case della signora Hubbard. Senza accorgesene, ha perso un bottone dell'uniforme. Poi è sgusciato fuori dallo scompartimento in corridoio. Ha infilato in fretta l'uniforme in una valigia che si trovava in uno scompartimento vuoto, e qualche minuto dopo, in abiti borghesi, è sceso dal treno poco prima che ripartisse. Servendosi di nuovo della stessa via d'uscita: lo sportello accanto al vagone ristorante.»

Tutti trattennero il respiro.

«E l'orologio?» chiese il signor Hardman.

«Ecco la spiegazione. *Il signor Ratchett aveva dimenti-*

cato di mettere indietro di un'ora il suo orologio, come avrebbe dovuto fare a Tzaribrod. Il suo orologio segnava quindi l'ora dell'Europa orientale, un'ora *avanti* rispetto a quella dell'Europa centrale. Era *mezzanotte e un quarto* quando il signor Ratchett è stato pugnalato, non l'una e un quarto.»

«Ma questa spiegazione è assurda!» gridò Monsieur Bouc. «E la voce che ha parlato dallo scompartimento all'una meno ventitré? O era la voce di Ratchett, o quella del suo assassino.»

«Non necessariamente. Si sarebbe potuto trattare di una terza persona. Qualcuno che era andato a parlare con Ratchett e lo aveva trovato morto. Ha suonato il campanello per chiamare il controllore, e poi, per così dire, ha capito di aver messo un piede in fallo: ha avuto paura di essere accusato del delitto e ha parlato fingendo di essere Ratchett.»

«*C'est possible*» ammise a malincuore Monsieur Bouc.

Poirot guardò la signora Hubbard. «Sì, *madame*, voleva dire...?»

«Be', non so davvero che cosa volessi dire. Crede che abbia dimenticato anch'io di mettere indietro l'orologio?»

«No, *madame*. Credo che lei abbia sentito l'uomo attraversare il suo scompartimento, ma era ancora mezza addormentata. Poi ha sognato che c'era un uomo accanto al suo letto e si è svegliata di soprassalto, chiamando il controllore.»

«Be', immagino che sia possibile» ammise la signora Hubbard.

La principessa Dragomiroff puntò gli occhi in viso

a Poirot. «Come spiega la deposizione della mia cameriera, *monsieur*?»

«È molto semplice, *madame*. La sua cameriera ha riconosciuto il fazzoletto che le ho mostrato e ha cercato un po' goffamente di proteggerla. Aveva incontrato quell'uomo: ma prima, mentre il treno era fermo alla stazione di Vinkovci. Ha finto di averlo visto un'ora dopo con l'intenzione di procurarle un alibi a prova di bomba.»

La principessa chinò il capo. «Ha pensato a tutto, *monsieur*. La ammiro.»

Cadde il silenzio. Poi tutti trasalirono quando il dottor Constantine battè con impeto il pugno sul tavolo.

«Ma no» disse. «No, no, e ancora no! È una spiegazione che fa acqua da tutte le parti. Non regge in una dozzina di punti secondari. Il delitto non è stato commesso in questo modo e Monsieur Poirot deve saperlo benissimo.»

Poirot gli lanciò uno sguardo indecifrabile.

«Capisco» disse «di doverle prospettare la mia seconda soluzione. Ma non abbia troppa fretta di rifiutare questa. In seguito potrebbe accettarla.» Si voltò a guardare gli altri. «C'è un'altra possibile soluzione del delitto. Ecco come ci sono arrivato.

«Dopo avere ascoltato tutte le deposizioni, mi sono seduto in poltrona, ho chiuso gli occhi e ho incominciato a *pensare*. Alcuni dettagli mi sono sembrati degni di attenzione. Li ho elencati ai miei due colleghi. Alcuni li ho già chiariti, come la macchia di unto sul passaporto e così via. Esaminerò adesso quelli che restano. Il primo, il più importante, è un'osservazione fatta da Monsieur Bouc nel vagone ristorante il primo giorno dopo la partenza da Istanbul: e precisamente che il gruppo di passeggeri lì riuniti era interessante perché molto vario, composto com'era da persone di ogni ceto e nazionalità.

«Fui d'accordo con lui, ma quando questo particolare mi è tornato in mente, ho cercato di immaginare in quale altra circostanza si sarebbe potuta trovare riunita una compagnia del genere. E la risposta che mi sono dato è stata: solo in America. In America si possono trovare nella stessa casa rappresentanti di tante nazionalità: un autista italiano, un'istitutrice inglese, una bambinaia svedese, una cameriera francese e così via. Questo mi ha offerto lo spunto per fare delle congetture, cioè per immaginare ogni persona inserita in una certa parte del dramma Armstrong, un po' come se mettessi in scena uno spettacolo teatrale. Ebbene, questo mi ha dato risultati estremamente interessanti.

«Ho anche esaminato le deposizioni di ognuno, con qualche risultato curioso. Prendiamo anzitutto la deposizione del signor MacQueen. Il primo interrogatorio è stato del tutto soddisfacente. Ma nel secondo ha fatto un'osservazione piuttosto strana. Gli avevo detto di aver trovato un biglietto in cui si accennava al caso Armstrong. E lui ha replicato: "Ma non è stato...", poi si è interrotto e ha continuato: "Voglio dire, non è stato un po' trascurato da parte del vecchio?"

«Mi sono reso conto che non era quello che aveva incominciato a dire. *Forse quello che intendeva dire era: "Ma non è stato bruciato?"* In tal caso, MacQueen sapeva del biglietto e della sua distruzione. In altre parole, o era l'assassino, o un suo complice. Molto bene.

«E adesso il cameriere. Ha affermato che Ratchett era solito prendere un sonnifero quando viaggiava in treno. Poteva anche essere vero, *ma lo avrebbe preso proprio ieri notte*? L'automatica sotto il cuscino smentiva questa affermazione. Ieri notte, Ratchett intendeva stare all'erta. Qualsiasi narcotico avesse ingerito doveva essergli stato somministrato a sua insaputa. Da chi? Chiaramente da MacQueen o dal cameriere.

«Veniamo ora alla deposizione del signor Hardman. Ho creduto a tutto quanto mi ha detto della propria identità, ma quando è arrivato ai metodi da lui impiegati per proteggere il signor Ratchett, la sua storia è diventata né più né meno che assurda. L'unico sistema efficace per proteggere Ratchett sarebbe stato quello di passare la notte nel suo scompartimento, o in un posto dal quale potesse tenerne d'occhio la porta. L'unica cosa che la sua deposizione dimostrava chiaramente era che *nessuno proveniente da qualsiasi altra parte del treno avrebbe potuto assassinare Ratchett*. Questo circoscriveva chiaramente i sospetti alla carrozza Istanbul-Calais. Mi sembrava un fatto piuttosto strano e inesplicabile, e l'ho accantonato per rifletterci.

«Avrete ormai saputo tutti che ho udito per caso un dialogo tra la signorina Debenham e il colonnello Arbuthnot. Trovai interessante il fatto che il colonnello Arbuthnot la chiamasse Mary e fosse palesemente in rapporti di amicizia con lei. Ma il colonnello avrebbe dovuto averla conosciuta solo pochi giorni prima e io conosco gli inglesi come lui: anche se si fosse innamorato a prima vista della signorina, avrebbe proceduto lentamente e con riservatezza, senza precipitare le cose. Ne conclusi che il colonnello Arbuthnot e la signorina Debenham si conoscessero in realtà molto bene, e per qualche motivo fingessero di essere estranei. Un altro dettaglio che mi ha colpito era la familiarità della signorina Debenham con il termine americano per le telefonate interurbane: *long-distance call*. Eppure la signorina Debenham mi aveva detto di non essere mai stata negli Stati Uniti.

«Passiamo a un altro testimone. La signora Hubbard ci ha detto che, stando a letto, non riusciva a vedere se la porta di comunicazione fosse chiusa o no col chiavistello, e aveva chiesto perciò alla signorina Ohlsson di controllare. La sua affermazione sarebbe stata senz'altro vera se lei avesse occupato lo scompartimento numero 2, 4, 12 o qualsiasi altro numero *pari*, dove il chiavistello si trova *sotto* la maniglia della porta; ma nei numeri *dispari*, come lo scompartimento numero 3, il chiavistello è *sopra* la maniglia e non poteva quindi essere nascosto in alcun modo dal beauty-case. Sono stato costretto a concludere che la signora Hubbard aveva inventato di sana pianta un fatto mai accaduto.

«Adesso lasciatemi dire qualche parola sui tempi. Secondo me, il punto davvero interessante sull'orologio ammaccato era il posto dov'è stato trovato: nella tasca del pigiama di Ratchett, un posto oltremodo scomodo e improbabile per tenere un orologio, specialmente quando proprio accanto al letto c'è un gancetto per appenderlo. Ho avuto pertanto la certezza che l'orologio fosse stato manomesso di proposito e infilato in quella tasca. Quindi, il delitto non era stato commesso all'una e un quarto.

«Era stato commesso prima? Per essere precisi, all'una meno ventitré? Il mio amico Monsieur Bouc presentava come argomento a favore di questa tesi il grido che mi aveva svegliato. Ma se Ratchett era stato drogato *non avrebbe potuto gridare*. Se era in grado di gridare sarebbe stato anche in grado di lottare per difendersi, e non c'erano tracce di una lotta del genere.

«Ho ricordato come MacQueen avesse richiamato non una, ma due volte l'attenzione – e la seconda volta in modo molto evidente – sul fatto che Ratchett non parlava il francese. Sono giunto alla conclusione che tutta la storia dell'una meno ventitré fosse una commedia recitata a mio uso e consumo! Chiunque sarebbe riuscito a smascherare la storia dell'orologio: è un espediente abbastanza comune nei romanzi gialli. Hanno dato per scontato che *avrei capito* e che, gloriandomi della mia intelligenza, sarei andato oltre, deducendone che poiché Ratchett non parlava il francese, la voce da me udita all'una meno ventitré non poteva essere la sua, e a quell'ora Ratchett doveva essere già morto. Ma io sono convinto che all'una meno ventitré Ratchett era ancora profondamente addormentato.

«Tuttavia l'espediente è riuscito! Ho aperto la porta e ho guardato fuori. Ho sentito le parole francesi che venivano pronunciate. Se avessi dovuto essere così incredibilmente ottuso da non capirne il significato, si sarebbe dovuta richiamare su di esso la mia attenzione. Se necessario, MacQueen sarebbe potuto uscire allo scoperto per dire: "Mi scusi, Monsieur Poirot, *non può essere stato il signor Ratchett a parlare*. Non conosceva il francese."

«Qual è dunque la vera ora del delitto? E chi lo ha ucciso?

«Secondo me, ed è solo un'opinione, Ratchett è stato ucciso in qualche momento molto vicino alle due, l'ultimo termine datoci come possibile dal dottor Constantine. Quanto a chi lo ha ucciso...»

Si interruppe, guardando l'uditorio. Non poteva certo lamentarsi di mancanza d'attenzione. Tutti gli occhi erano fissi su di lui. Nel silenzio si sarebbe sentita volare una mosca.

Riprese lentamente:

«Mi ha colpito in modo particolare l'incredibile difficoltà di dimostrare la colpevolezza di qualsiasi persona sul treno, e la coincidenza piuttosto strana che in ogni caso la testimonianza che forniva un alibi veniva da una persona che potrei definire "improbabile". Il signor MacQueen e il colonnello Arbuthnot si fornivano un alibi a vicenda: due persone fra le quali sembrava altamente inverosimile che ci fosse qualsiasi precedente rapporto di amicizia. Lo stesso accadeva con il cameriere inglese e l'italiano, con la signora svedese e la ragazza inglese. "È incredibile: non possono essere *tutti* coinvolti!" mi sono detto.

«Ed è stato allora che ho capito. *Erano tutti coinvolti.* Che tante persone legate al caso Armstrong viaggiassero sullo stesso treno per pura coincidenza non era solo improbabile, era *impossibile*. Non poteva essere per caso, ma *di proposito*. Ho ricordato un'osservazione del colonnello Arbuthnot sul verdetto pronunciato da una giuria. Una giuria è composta da dodici persone. C'erano dodici passeggeri. Ratchett è stato pugnalato dodici volte. E quello che non riuscivo a spiegarmi, ossia l'incredibile affollamento nella carrozza Istanbul-Calais in una stagione morta, trovava così spiegazione.

«Ratchett era sfuggito alla giustizia in America. Non c'erano dubbi sulla sua colpevolezza. Ho immaginato dodici persone autonominatesi giuria che lo avessero condannato a morte e fossero state costrette dalle circostanze a eseguire la sentenza. E una volta fatta questa ipotesi, il caso mi è apparso di una chiarezza abbagliante.

«L'ho visto come un mosaico perfetto, nel quale ognuno recitava la parte che gli era assegnata. Tutto era stato previsto perché, se fossero caduti i sospetti su uno qualsiasi di loro, la testimonianza di uno o più degli altri lo scagionasse e confondesse le tracce. La testimonianza di Hardman era necessaria per evitare che qualche estraneo venisse sospettato del delitto e non fosse in grado di presentare un alibi. I passeggeri della carrozza di Istanbul non correvano alcun pericolo. Ogni minimo particolare delle loro deposizioni era stato messo a punto in precedenza. Tutto l'insieme era un rompicapo progettato con molta abilità, in modo che ogni nuovo pezzo di verità che veniva in luce rendesse la soluzione dell'insieme più difficile. Come ha osservato il mio amico Monsieur Bouc, il caso sembrava impossibile e fantastico. Era esattamente l'impressione che si voleva dare.

«Questa soluzione spiegava tutto? Sì. La natura delle ferite: ognuna inflitta da una persona diversa. Le lettere minatorie fasulle, perché erano state scritte solo per essere presentate come prove. C'erano state senza dubbio lettere vere, che preannunciavano a Ratchett il suo destino, e che MacQueen ha distrutto, sostituendole con le altre. E poi la storia di Hardman che affermava di essere stato assunto da Ratchett. Una menzogna, naturalmente, dal principio alla fine: la descrizione del mitico ometto con la voce da donna, una descrizione molto comoda, perché aveva il merito di non incriminare nessuno dei veri controllori dei vagoni letto e si adattava sia a un uomo che a una donna.

«A prima vista, l'idea di pugnalare può sembrare strana, ma in realtà niente si sarebbe prestato meglio alla situazione. Un pugnale è un'arma che può usare chiunque, forte o debole, e che non fa rumore. Immagino, sebbene possa sbagliarmi, che ognuno sia entrato a turno nello scompartimento di Ratchett, attraverso quello della signora Hubbard, e abbia colpito al buio. Loro stessi non avrebbero mai saputo quale di quei colpi sarebbe stato quello mortale.

«L'ultima lettera che Ratchett aveva trovato, probabilmente sul cuscino, è stata bruciata. Senza nessun indizio che facesse pensare al caso Armstrong, non ci sarebbe stato assolutamente alcun motivo di sospettare di qualsiasi passeggero. Il caso sarebbe stato archiviato come un delitto commesso da uno sconosciuto, e l'ometto scuro con la voce da donna sarebbe stato visto da uno o più passeggeri scendere dal treno a Brod.

«Non so esattamente che cosa sia accaduto quando i congiurati si sono accorti che questa parte del loro piano non si poteva realizzare per via del treno bloccato dalla neve. Immagino ci sia stata una affrettata consultazione, prima di decidere di proseguire ugualmente. È vero che a questo punto qualunque passeggero avrebbe potuto essere sospettato, ma questa possibilità era già stata prevista. L'unica cosa nuova da fare era confondere ancora di più le tracce. Due cosiddetti indizi furono lasciati nello scompartimento del morto: uno che accusava il colonnello Arbuthnot – il cui alibi era inattaccabile e i cui rapporti con la famiglia Armstrong erano probabilmente più difficili da dimostrare – e uno, il fazzoletto, che accusava la principessa Dragomiroff. In virtù della sua posizione sociale, del suo fisico particolarmente fragile e dell'alibi fornito dalla cameriera e dal controllore, la principessa era in una posizione praticamente inattaccabile. Per complicare ulteriormente il quadro si è fatto ricorso a un terzo falso indizio: la mitica donna dal kimono rosso. E tocca di nuovo a me testimoniare sull'esistenza di questa donna. Viene battuto un colpo forte alla mia porta, io mi alzo, guardo fuori e vedo il kimono scarlatto che scompare in lontananza. Una oculata scelta di testimoni: il controllore, la signorina Debenham e MacQueen la vedranno a loro volta. Penso sia stato qualcuno dotato di senso dell'umorismo a mettere il kimono scarlatto nella mia valigia mentre interrogavo i passeggeri nel vagone ristorante. Quando sia entrato in scena per la prima volta quell'indumento non lo so. Immagino appartenga alla contessa Andrenyi, dal momento che il suo bagaglio conteneva solo un *négligé* di chiffon così elaborato da essere più un abito da cocktail che una vestaglia.

«Quando MacQueen ha appreso che la lettera bruciata con tanta cura era sfuggita in parte alla distruzione, e che le parole rimaste si riferivano proprio al caso Armstrong, deve aver subito comunicato la notizia agli altri. È stato allora che la posizione della contessa Andrenyi si è fatta difficile, e suo marito ha provveduto immediatamente ad alterare il passaporto. È stata la loro seconda sfortuna. Avevano convenuto tutti di negare recisamente qualsiasi rapporto con la famiglia Armstrong. Sapevano che non avevo alcun modo di scoprire la verità, e non credevano che avrei approfondito la cosa se non avessi avuto sospetti nei confronti di qualcuno in particolare.

«Adesso c'era un altro punto da considerare. Ammettendo che la mia teoria fosse giusta, e *io sono convinto che lo sia*, evidentemente anche il controllore del vagone letto doveva far parte del complotto. Ma in tal caso le persone diventavano tredici, non dodici. Invece della solita formula: "Fra tante persone una sola è colpevole", dovevo affrontare il problema che di tredici persone una, e una sola, era innocente. Qual era questa persona?

«Sono arrivato a una conclusione molto curiosa, ossia che a non aver partecipato al delitto fosse stata proprio la persona più indiziata. Mi riferisco alla contessa Andrenyi. Mi aveva colpito la sincerità del marito quando aveva giurato solennemente, sul suo onore, che quella notte lei non era mai uscita dal suo scompartimento. E ho deciso che il conte Andrenyi avesse preso il posto della moglie.

«Così stando le cose, Pierre Michel era decisamente uno dei dodici. Ma come spiegare la sua complicità? Era un uomo per bene, da molti anni al servizio della Compagnia: non certo uno che si lasciasse corrompere per prestare mano a un delitto. Quindi, Pierre Michel doveva essere coinvolto nel caso Armstrong. Ma questo sembrava davvero improbabile. Ricordai allora come la cameriera morta fosse francese. E se quella sventurata ragazza fosse stata la figlia di Pierre Michel? Questo avrebbe spiegato tutto: avrebbe spiegato anche il luogo scelto per mettere in scena il delitto.

«C'erano altri la cui parte in questo dramma non era ancora chiara? Assegnai al colonnello Arbuthnot la parte di amico degli Armstrong. Probabilmente, lui e John Armstrong avevano fatto la guerra insieme. Quanto alla cameriera, Hildegarde Schmidt, non mi era difficile immaginare il suo posto in casa Armstrong. Forse sono troppo goloso, ma fiuto d'istinto un buon cuoco. Le ho teso una trappola, e lei ci è caduta. Le ho detto di sapere che era una buona cuoca. Lei mi ha risposto: "Proprio così, tutte le mie padrone lo hanno sempre detto." Ma se una donna è assunta come *cameriera*, è difficile che i suoi padroni abbiano l'occasione di sapere se sia o no una buona cuoca.

«E poi c'era Hardman. Sembrava decisamente estraneo alla famiglia Armstrong. Potevo solo immaginare che fosse stato innamorato della ragazza francese. Gli ho parlato del fascino delle straniere, ottenendo ancora una volta la reazione che mi aspettavo. I suoi occhi si sono riempiti di lacrime, e lui ha finto di essere stato abbagliato dalla neve.

«Restava la signora Hubbard. Proprio la signora

Hubbard, lasciatemelo dire, ha recitato la parte più importante in questo dramma. Occupando lo scompartimento adiacente a quello di Ratchett era più esposta ai sospetti di chiunque altro. Nella natura delle cose non avrebbe potuto avere un alibi dietro al quale trincerarsi. Per interpretare la parte che recitava, quella della madre americana affettuosa, assolutamente spontanea, un po' ridicola, era necessaria un'artista. Ma *c'era* un'artista legata alla famiglia Armstrong: la madre della signora Armstrong, Linda Arden, l'attrice...»

Poirot si interruppe.

Allora, con una voce melodiosa, ricca di sfumature, del tutto diversa da quella che aveva usato durante tutto il viaggio, la signora Hubbard disse: «Mi sarebbe sempre piaciuto recitare in una commedia.» Continuò come trasognata: «Quella svista riguardo al beauty-case è stata sciocca. Dimostra che si dovrebbero sempre fare molte prove. Quella scena l'abbiamo provata durante il viaggio di andata: allora era uno scompartimento pari, immagino. Non avrei mai pensato che i chiavistelli fossero in una posizione diversa.» Si mosse e guardò Poirot negli occhi. «Sa tutto, Monsieur Poirot. Lei è un uomo straordinario. Ma neppure lei può immaginare che cosa sia stato quel giorno spaventoso, a New York. Ero pazza di dolore, e così pure i domestici... C'era anche il colonnello Arbuthnot, il migliore amico di John.»

«Durante la guerra mi ha salvato la vita» aggiunse Arbuthnot.

«Decidemmo allora... forse siamo stati dei pazzi, non so... che la condanna a morte alla quale Cassetti era sfuggito sarebbe stata eseguita. Eravamo in dodici, o piuttosto in undici: il padre di Susanne era in Francia, naturalmente. Sulle prime, pensammo di tirare a sorte a chi toccasse farlo, ma alla fine optammo per questa soluzione. È stato l'autista, Antonio, a proporla. Mary ha messo a punto tutti i particolari con Hector MacQueen. Lui aveva sempre adorato Sonia, mia figlia, e ci ha spiegato esattamente come il denaro di Cassetti fosse riuscito a salvarlo.

«Ci è voluto molto tempo per mettere a punto il nostro piano. Prima, dovevamo rintracciare Ratchett. Alla fine, Hardman ci riuscì. Poi dovevamo far entrare Masterman e Hector al suo servizio, o almeno uno di loro. Siamo riusciti anche in questo. Poi abbiamo avuto l'incontro col padre di Susanne. Per il colonnello Arbuthnot era molto importante che fossimo in dodici. Sembrava ritenere che questo rendesse la cosa più legale. Non gli piaceva l'idea del pugnale, ma riconosceva che risolveva gran parte dei nostri problemi. Il padre di Susanne ha accettato. Lei era la sua unica figlia. Apprendemmo da Hector che Ratchett sarebbe tornato prima o poi dall'Oriente con l'Orient Express. Con Pierre Michel che lavorava su quel treno, l'occasione era troppo buona per lasciarsela sfuggire. Inoltre sarebbe stato un buon sistema per non coinvolgere nessun estraneo.

«Il marito di mia figlia doveva sapere, naturalmente, e ha insistito per accompagnarla. Hector ha fatto in modo che Ratchett scegliesse il giorno giusto per viaggiare, quando sarebbe stato di turno Michel. Volevamo prenotare tutti gli scompartimenti della carrozza

Istanbul-Calais, ma purtroppo ce n'era uno che non siamo riusciti a ottenere. Era prenotato da tempo per un direttore della Compagnia. Il signor Harris, naturalmente, non esisteva. Ma sarebbe stato imbarazzante avere un estraneo nello scompartimento di Hector. E poi, all'ultimo minuto, è arrivato *lei*...»

La signora si interruppe. Dopo una pausa, disse: «Adesso sa ogni cosa, Monsieur Poirot. Che cosa intende fare? Se tutto deve essere svelato, non potrebbe dare la colpa a me, soltanto a me? Avrei pugnalato volentieri dodici volte quell'uomo. Non solo perché era il responsabile della morte di mia figlia e della sua bambina, e di quell'altro figlio che adesso potrebbe essere vivo e felice. C'erano stati altri bambini prima di Daisy, avrebbero potuto essercene altri in futuro. La società lo aveva condannato; noi eseguivamo la sentenza. Ma è inutile trascinare gli altri in questa storia. Tutte queste persone buone e fedeli, il povero Michel, Mary e il colonnello Arbuthnot che si amano...»

La sua voce era meravigliosa mentre riecheggiava in quello spazio affollato: la voce profonda, commovente e piena di pathos che aveva fatto fremere più di un uditorio a New York.

Poirot guardò l'amico. «Lei è un direttore della Compagnia, Monsieur Bouc. Che cosa ne dice?»

Monsieur Bouc si schiarì la voce. «A mio parere, Monsieur Poirot, la prima soluzione da lei proposta è quella giusta, decisamente. Propongo di offrire questa soluzione alla polizia iugoslava quando arriverà. È d'accordo, dottore?»

«Senza dubbio» disse il dottor Constantine. «Quanto al referto medico, penso di avere pronte un paio di fantastiche ipotesi...»

«A questo punto,» dichiarò Poirot «avendovi fornito la mia soluzione, ho l'onore di abbandonare il caso...»

Indice

Parte prima. I fatti

Parte seconda. Le deposizioni

AGATHA CHRISTIE

L'AUTRICE

Agatha Mary Clarissa Miller (1890-1976) deve il cognome che l'ha resa famosa al suo primo marito, Archibald Christie. Allo scoppio della Prima guerra mondiale entra a lavorare come crocerossina in un ospedale, acquistando quella conoscenza su medicinali e veleni che le tornerà utile nella sua carriera di scrittrice. Nel 1920, per una scommessa con una sorella dispettosa, scrive e pubblica *Poirot a Styles Court*, dando il via alla sua fortunatissima carriera di scrittrice. È la più famosa giallista al mondo e una delle più prolifiche autrici di ogni tempo: ha al suo attivo circa ottanta opere, tradotte in più di cento lingue e vendute in oltre due miliardi di copie. Nel 1971 è stata insignita della massima onorificenza che l'Inghilterra riserva alle donne: Dama dell'Impero Britannico.

AGATHA CHRISTIE
MISS MARPLE ALLA RISCOSSA

Con la sua crocchia di capelli bianchi, l'aria innocente e l'eterno lavoro a maglia, Miss Marple sembra il prototipo dell'innocua vecchietta dedita al giardinaggio e ai merletti. E invece è una formidabile detective dilettante che, pur avendo trascorso tutta la vita in un piccolo villaggio, ha un infallibile fiuto per il Male ed è capace di risolvere qualunque caso criminoso, persino battendo sul tempo Scotland Yard!